Inhalt

W0067292

Inhalt der CD-ROM

Auf der CD-ROM finden Sie zum einen Zusatzmaterialien, auf die im Buch verwiesen wird. Zum anderen sind die Fotos der Poster, Spiele und Karten aus dem Buch in farblicher Wiedergabe auf der CD-ROM enthalten. Die Bildbeispiele geben einen Einblick in ein lebendiges Seminargeschehen und sollen Ihnen Impulse geben, selbst die passenden Materialien für Ihre Seminare zu erstellen. Sie sind also nicht als Rezepte oder gar Kopiervorlagen zu verstehen und deshalb authentisch aus dem Seminargeschehen gegriffen, aber bewusst nicht perfekt nachgearbeitet.

Voraussetzung zur Nutzung ist ein handelsüblicher PC oder Mac, der mit Programmen zum Lesen von Dokumenten im Microsoft® Word®-Dateien und dem Adobe Acrobat Reader ausgestattet ist.

Übersicht über die Materialien:	
Materialien zu Kapitel 2 über Lernen	Poster mit Motto
	Arbeitsblatt Sinneskanäle
	Checkliste gehirngerechte Methoden
	Erkenntnisbogen Aktivierung
Materialien zu Kapitel 4 über Auftragsklärung	Nutzung des SCORE-Modells Seite 45
Materialien zu Kapitel 5 über Seminarkonzeption	Bevorzugtes Raumsetting (Foto) Seite 60
	Blanko-Formular Ablaufplanung
Materialien zu Kapitel 6.1 über Medien	Clevere Tasten in PowerPoint Seite 76
	Weitere Tipps zu PowerPoint
	Posterbeispiel: Trainer-Aufgaben
	Bildbeispiel Spruch auf Poster
	Bildbeispiel Agenda auf Poster 1
	Bildbeispiel Agenda auf Poster 2
	Szenenbild Posterworkshop
	Schrifttipps als Poster Seite 81
	Pinnwandbeispiel Seite 83
	Lizensierung von Musik (GEMA) Seite 88
	Vorschläge für Musiktitel Seite 88
Materialien zu Kapitel 6.2 über Medien	Bildbeispiel Poster Piazza Seite 100
	Vorlage Spielkartenset klein Seite 102
	Beispiel Memory PowerPoint Seite 104
	Beispiel Memory Train-the-Trainer Seite 105
	Beispiel Fragekarten großer Preis Seite 107
	Beispiel Karten Tabu Seite 108
	Beispiel Domino Seite 111
	Beispiel Lernspiel Formeln Seite 112
	Beispiel Lernspiel Excel-Formeln Seite 113
	Beispiel Tasten PowerPoint Seite 114
	Vorlesetext Lernkonzert Seite 117
	Vorlage Kartenherstellung Seite 103 und 108

1 Einleitung: Der Nutzen dieses Buches

„Wenn der Trainer aufbaut, wird geschlafen.
Wenn die Teilnehmer aufbauen, wird gelernt."
Grundprinzip des Accelerated Learning

Dies ist weder das erste Buch für Trainer, Seminarleiter oder Dozenten noch wird es das letzte sein. Es beansprucht jedoch, eine konkrete Lücke zu schließen – und zwar fasst es die „Essentials" für angehende Trainer kompakt und sehr praxisnah zusammen. Dabei nutzt es ausführlich Visualisierungen, ohne sich in aufgesetzten Spielereien zu verlieren.

Ein solches Buch vermisse ich seit Beginn meiner Trainertätigkeit. Unbestritten gibt es reichlich unterschiedliche gute Bücher zu Methodik und Didaktik, zu Bewegungsspielen, den so genannten Aktivierungen, zum Moderieren und Präsentieren und zum Umgang mit „schwierigen Teilnehmern". Sie summieren sich aber zu einem umfassenden Lesepensum und beleuchten die Aspekte meist auch aus einem bestimmten Blickwinkel, aus der Sicht einer einzelnen „Schule".

Sobald jedoch der Auftrag im Raum steht, anderen etwas beizubringen, ist meist wenig Zeit da und man wünscht sich erst einmal einen Überblick. Im Mittelpunkt steht die Frage: Wie komme ich vom Auftrag nun zu einem guten Seminar? Zu einem wirklich guten Seminar, in dem die Teilnehmer und Trainer Spaß haben, gut lernen und schwierige Situationen professionell mit fundierter Kenntnis lösen.

Die dafür notwendigen Essentials sind
- eine treffende Auftragsklärung, mit der ein Seminar steht und fällt,
- eine Seminarkonzeption, die Themen, Methoden und Räume so gestaltet, dass insbesondere Erwachsene gerne und gut lernen können,
- Tipps zum Umgang miteinander in typischen und oftmals als schwierig empfundenen Trainingssituationen und
- letztendlich ein modernes Lernkonzept, mithilfe dessen man ein Fundament und Verständnis dafür bekommt, wie jegliche Themen als erlebtes Lernen gestaltet werden können.

Diese benannte Literaturlücke möchte ich mit dem vorliegenden Trainerleitfaden schließen und insbesondere Fachleute ansprechen, die freiwillig oder „auserkoren" anderen Fachwissen bzw. Kompetenzen in Seminaren näherbringen möchten. Ansprechen möchte ich auch die Trainer, die in den Themen und Branchen tätig sind, die sich gegenüber „neuen" Trainingsmethoden zunächst weniger aufgeschlossen zeigen und manche davon sogar rigoros ablehnen. Außerdem kann es auch ein Buch sein für langjährige Trainer, die skeptisch gegenüber aktivierenden Methoden sind. Sie sind meine „typischen" Teilnehmer, die durchs Erleben im (Train-the-Trainer-) Seminar entdecken, wie sich teilnehmerorientiertes Lernen anfühlt und „was es bringt".

Warum erwähne ich das? Nun, ich habe eine besondere methodische Ausbildung genossen, die sich glücklicherweise in den letzten zehn Jahren immer mehr in der Weiterbildung verbreitet hat und der ich vieles verdanke. Natürlich werde ich sie hier in den betreffenden Kapiteln näher vorstellen und an dieser Stelle erwähnen, dass auch mir manches innerhalb der Ausbildung ein wenig zu verspielt erschien. Der Sinn und die Wirkung sind für mich völlig unumstritten positiv, jedoch sind Menschen eben unterschiedlich in dem, was sie mögen. Mittlerweile habe ich bezüglich der Umsetzung der Methode eine Linie für mich gefunden, die wie so oft in der Mitte liegt.

Dies kommt vielen meiner Kunden sehr entgegen, denn meine Erfahrung hat mich Folgendes gelehrt: Mitarbeiter, die tagein und tagaus in eher rationalen Themen und Verhaltensweisen „unterwegs" sind, können und möchten oft nicht so schnell die andere, verspielt-kreative Seite in sich herauskehren. Da mögen auch Vorurteile eine Rolle spielen, wie etwa, dass bestimmte Methoden doch eher ins soziale oder erzieherische Umfeld gehören. Aussagen wie *„Oh, ein Stuhlkreis – sind wir hier im Kindergarten?"* bestätigen die Befürchtungen, sich zu sehr auf ungewohntes Terrain begeben zu müssen, wenn man sich auf neue Methoden einlässt. Meine ehemaligen Kollegen und ich sind diesen Bedenken mit Methoden gerecht geworden, die zwar mitunter etwas Überwindung kosten, letztendlich aber jeden überzeugt und „mitgenommen" haben.

Nun halten Sie ja ein Buch in Ihren Händen und nehmen gerade nicht an einem Seminar teil – wo ist nun dabei Ihr Erlebnis? Das stimmt und deshalb möchte ich Sie durch zahlreiche Beispiele, Fotos und Beschreibungen der Methoden, Arbeitsblätter und Poster in ein möglichst nahes Erleben begleiten. Gerne können Sie mir davon berichten, Fragen stellen und ein Feedback geben. Meine E-Mail-Adresse finden Sie im Anhang des Buches – ich freue mich, von Ihnen zu hören! Ich wünsche Ihnen viele „Ahas" und interessante Entdeckungen auf Ihrem Weg zum Seminar.

Noch ein Hinweis: Mir ist es wichtig, dass sich Trainerinnen und Trainer gleichermaßen angesprochen fühlen, aber ich möchte nicht ständig die doch etwas sperrige Doppelformulierung im Text verwenden. Nur der Einfachheit halber heißt es also immer „Trainer", gemeint sind stets (Trainer-)Kolleginnen und Kollegen.

Anke Stockhausen

2 Hintergründe

Wer sich in der heutigen Zeit dagegen ausspricht, Inhalte nahezu ausschließlich durch Folienvorträge zu vermitteln, ist immer noch ein Exot, *„schließlich machen das doch alle so und die Zuhörer erwarten das doch auch"*. Umgekehrt war man vor 15 Jahren ein Exot und manchmal sogar „Angeber", wenn man mit Folien in der Machart von Microsoft-PowerPoint Wissen vermittelte. Die Methodik des Lehrens scheint mit dem aktuellen Technikangebot zusammenzuhängen. Dennoch schießt mir dabei auch die folgende Frage in den Kopf: Wer hat gesagt, dass man die Technik anwenden sollte, nur weil es sie gibt? Hat es nicht vielmehr damit zu tun, was man erreichen möchte, und nicht damit, was technisch möglich ist? Und womit hängt gutes, angenehmes Lernen überhaupt zusammen? Dies möchte ich Ihnen in diesem Kapitel in verdaulichen Häppchen näher bringen …

2.1 Was Sie bekommen … und was nicht!

In vielen Seminaren beginne ich damit zu erzählen, was **nicht** darin geschehen wird. Damit setze ich den Standard, auf den sich alle Teilnehmer im Laufe der kommenden Stunden oder Tage einstellen können. Es mag hart klingen, aber ich vermeide, bestimmte Aspekte mit den Teilnehmern zu diskutieren. Und das aus gutem Grund!

So werden die Teilnehmer etwa nicht die gesamte Seminarzeit an Tischen sitzen, sie werden auch nicht den Tag über „auf ihren vier Buchstaben verbringen" (und damit meine ich nicht die Pausen, in denen sie stehen oder sich bewegen werden). Und wie Sie sicherlich schon aus der Einleitung erkannt haben, versorge ich meine Teilnehmer auch nicht den Großteil des Seminars über mit Informationen in Form von konsumgerecht aufbereiteten Folien. Ich verwende außerdem nur sehr selten eine Videokamera und lasse auch selten Ergebnisse von Gruppenarbeiten nacheinander vor der Gesamtgruppe präsentieren.

Es geht mir nicht darum, diese Aspekte oder Menschen, die damit arbeiten, zu kritisieren. Ich habe mir vor vielen Jahren als Trainerin einen Leitsatz zu eigen gemacht, mit dem die oben erwähnten Aspekte einfach nicht vereinbar sind. Natürlich möchte ich diesen Leitsatz als Vorgriff auf ein folgendes Kapitel schon einmal zitieren, er lautet:

„LERNEN IST KREIEREN, NICHT KONSUMIEREN!"

Dieser Satz kommt – so viel sei schon verraten – aus dem so genannten Accelerated Learning, einer bestimmten Richtung von Methodik und Didaktik, die recht hartnäckig und leidenschaftlich die Beteiligung aller und damit vor allem der Teilnehmer einfordert. Das klingt doch logisch, oder? Für wen sind die Seminare, wenn nicht für die Teilnehmer? Nun, die Praxis zeigt, dass die Zielgruppe nicht unbedingt der hauptsächlich aktive Teil in einer Lernsituation ist – leider! Viele Teilnehmer eines Train-the-Trainer-Seminars erkennen erst im Laufe der Zeit, dass sie momentan wohl eher eine „lehrerzentrierte Vermittlung" bevorzugen, was immer seine guten Gründe und seine Vorgeschichte hat!

Nun wissen Sie, was Sie in einem meiner Seminare nicht erwartet, und dies steht im engen Zusammenhang damit, was Sie **in diesem Buch nicht erwarten** sollten: Ich bin kein Fan von „Es kommt darauf an". Zugegeben, in begründeten Ausnahmen beziehe ich mich auch darauf und erkläre natürlich warum. Ich spreche aber lieber klare Empfehlungen aus, wenn ich mit einer Sache gute Erfahrungen gemacht habe – diese müssen aber nicht auf Sie zutreffen!

PROBIEREN SIE ETWAS AUS UND LASSEN SIE DANN EINFACH IHREN „EIGENSINN" (IHRE GUTE BAUCH- UND HIRN-KOMBINATION) ENTSCHEIDEN, WAS FÜR SIE IN DER SITUATION DAS RICHTIGE IST. DIESES PRINZIP DER SELBSTVERANTWORTUNG LEBE ICH AUCH IN DEN SEMINAREN.

Diese Selbstverantwortung mute ich auch Ihnen zu – hier ein Beispiel: Obwohl ich auch PowerPoint-Trainerin bin, hadere ich immer damit, eine Liste von Gestaltungsregeln für Folien zu erarbeiten, und das aus folgendem Grund: Ich behaupte, dass nahezu jeder erkennt, wenn eine Folie „schlecht", also nicht ansprechend und nicht dem Zweck dienlich ist. Man müsste sich also eigentlich eher ansehen, was einem nicht gefällt, diese negativen Aspekte ins Positive drehen und sie dann vor allem umsetzen! Mit dem Beispiel will ich verdeutlichen: Ich traue Menschen zu, dass sie die Lösungen oft schon kennen und innerhalb des Seminars auch dem „Wie" – also dem Weg – ein Stück näher gekommen sind. Zumindest wissen sie oft, was oder wie sie etwas nicht tun sollten, um ihre Ziele zu erreichen. Manchmal hapert es eben „nur" an **einer** Sache, nämlich der Umsetzung der Erkenntnisse! Den Hinderungsgründen auf die Spur zu kommen, ist oft das eigentlich Wichtige. In einem Seminar kann ein Trainer dazu einladen und jemanden auf diesem Weg begleiten. Mit dem Teilnehmer an seinen „Hinderungsgründen" zu arbeiten, verlässt für mache aber auch den klassischen Rahmen eines PowerPoint-, Moderations- oder Zeitmanagementseminars. Manch einer möchte an dieser Stelle gepackt werden und daran arbeiten, ein anderer macht an dieser Stelle zu.

Hier ein paar Beispiele zum besseren Verständnis:
- Ein Teilnehmer (eines Train-the-Trainer-Seminars) sagt, er sei einfach zu bequem, aus dem textlastigen Teilnehmer-Handout einen schlanken Foliensatz für seine Präsentation zu machen, und verwendet nach wie vor 90 volle Folien für 3 Stunden Präsentation. Daran wird weder ein PowerPoint- noch ein Präsentations-Seminar etwas ändern. Bekommt er beispielsweise im Rahmen seiner Arbeit keine Stunden dafür frei gestellt und ist nicht bereit, grundsätzlich Zeit dafür zu investieren, ist dies eine Frage der Prioritäten, nicht aber eines Präsentationstricks. Daran ist grundsätzlich nichts einzuwenden, nur werden die Vorträge damit nicht interessanter.

- Eine Teilnehmerin befürchtet, dass ein Kunde keinen Folgeauftrag platziert, wenn sie nicht auf jeden neuen Terminwunsch eingeht, sondern auch einmal Grenzen setzt. Dass dies dazu führt, dass alle anderen Termine auch umgeplant werden müssen und im Zweifel das Privatleben darunter leidet und sich dies insgesamt im Körper bemerkbar macht (z.B. in Form von Kopf- und Rückenschmerzen oder Schlaflosigkeit) kann auch kein Zeitmanagementtool lösen.

- Ein dritter Teilnehmer ist Projektleiter und moderiert in dieser Rolle Besprechungen. Gleichzeitig ist er von ruhiger, introvertierter Natur und neigt dazu, sich zurückzuziehen, wenn es laut wird und Menschen sich auseinandersetzen. Er wird im Seminar kennen lernen und üben, wie er kommunikativ eingreifen oder mittels Moderationsmethoden dem Prozess Struktur geben kann etc. Dies alles nützt wenig, wenn er aufgrund bestimmter Befürchtungen dazu neigt, sich in der Situation zurückzuziehen, anstatt rollengemäß einzugreifen.

Diese drei Echt-Beispiele zeigen: Seminare stoßen Menschen oft auf Dinge, die sie unbewusst schon wissen – sie werden ihnen durch den Trainer, die Gespräche, die Methoden und das inhaltliche Angebot vor Augen geführt. Was sie mit der Erkenntnis machen, liegt in der Entscheidung der Teilnehmer selbst. Auch Sie werden mitunter denken, dass Sie das eine oder andere in diesem Buch schon kennen. Manches wird Ihnen sicherlich neu und ggf. seltsam vorkommen. Vielleicht hätten Sie sich auch mehr Tipps gewünscht dazu, was in dieser oder in jener Situation das Beste sei. Und manchmal besteht der Tipp einfach darin, etwas auszuprobieren und die Zeit weniger damit zu verbringen, nach weiteren Tipps und Tricks Ausschau zu halten. Oder um Franz Kafka zu zitieren:

„Verbringe nicht die Zeit mit der Suche nach einem Hindernis, vielleicht ist keines da."

In diesem Sinne wünsche ich Ihnen nun eine ordentliche Portion Neugier, dieses Buch tatsächlich von Beginn an zu lesen. Es ist weniger als Ratgeber geschrieben, den man bei Problem X auf Seite Y aufschlägt und einen konkreten Tipp nachliest. Es ist wichtig, sich mit den Hintergründen zu befassen und diese als sinnvoll einzuschätzen. Darauf aufbauend sind die dann folgenden Methoden, Tipps zur Konzeption und zum Umgang mit schwierigen Seminarsituationen eine logische Folge. Letztendlich wünsche ich Ihnen vor allem ausreichend Anlässe, die Inhalte dieses Buches mit Spaß und Erfolg in die Tat umsetzen zu können!

2.2 Von Fakiren, Barockmusik und Suggestionen

Mein erster Kontakt mit Seminaren überhaupt war der, in einem Excel-Grundlagen-Kurs hospitieren zu dürfen. Am Ende des ersten Tages kündigte die Trainerin und zukünftige Arbeitskollegin ein Lernkonzert an – oha! Sie erklärte uns, dass wir nun die Inhalte des Tages noch einmal in entspannter Form verarbeiten könnten, und stellte eine leise und dennoch gut hörbare Instrumentalmusik an.

Dann begann sie, mit sanfter klarer Stimme einen Text zu sprechen. Sie bat uns darin, die Augen zu schließen, uns ein wenig zu entspannen, unserem Atem wahrzunehmen und die aktuellen Gedanken am Ende des Tages noch einmal loszulassen. Anschließend wiederholte sie, passend zum Rhythmus und den Pausen des Musikstücks, die Inhalte des (Excel-)Tages noch einmal in der Reihenfolge, in der wir sie kennen gelernt und geübt hatten. Sie erwähnte auch die Art und Weise, **wie** wir gelernt hatten, sprach die Methoden an und die inhaltlichen Besonderheiten. Im Anschluss holte sie uns mit ein paar Worten wieder zurück aus dem entspannten Zustand. Wir öffneten unsere Augen und es war erstaunlich und angenehm still im Raum. Es lag ein Grinsen oder Lächeln auf jedem Gesicht und keiner traute sich zunächst, etwas zu sagen.

Das also war ein Lernkonzert! Das Ganze hatte nicht länger als zehn Minuten gedauert und Erstaunliches bewirkt und ausgelöst, wie die Feedbackrunde am nächsten Morgen ergab: Allen hat es gut getan, am Ende des Tages wieder einen Gang herunter zu schalten, insbesondere vor einer anstehenden Heimfahrt. Diese Ruhe, ausgelöst durch die Musik und die Stimme, haben dazu beigetragen, sich auf die Inhalte des Tages noch einmal einzulassen. Jeder schilderte, sich die Inhalte nochmals bildhaft vor Augen geführt haben zu können, vor allem dadurch, dass auch die Art und Weise des Erlebens, die Methoden, wiederholt wurden. Einige erwähnten auch, dadurch größere Sicherheit empfunden zu haben, das Gelernte auch wirklich über das Seminar hinaus behalten und anwenden zu können. Vor allem waren die Teilnehmer und ich damals darüber erstaunt gewesen, dass keine Wiederholung in Form von Abfragen oder „es vor allen vormachen" gefordert wurde. Stattdessen hatten wir den Tag in einer angenehmen Atmosphäre verbracht.

Was folgte, war eine so genannte Vernissage (siehe auch Kapitel 6.2.4.1), in der sich jeder einen Partner sucht und – versorgt mit zum Beispiel einer Tasse Kaffee – durch den Raum an den Wänden entlang wandert, an denen ansprechend gestaltete Poster zu den einzelnen Seminarthemen des Vortages hingen. Die Paare kamen ins Gespräch, wiederholten so noch einmal aktiv die Inhalte des Vortages und nach zehn Minuten waren alle so weit, ihr gefestigtes Wissen in Form einer Einstiegsübung erneut anzuwenden. Dabei arbeitete keiner für sich allein, sondern jeder konnte mit seinem Nachbarn zusammen im Gespräch die Aufgaben lösen.

Mhh, das alles klingt zu schön, um wahr zu sein? Sie denken ich war in einer Excel-Stunde in der Waldorfschule? Tatsächlich war ich in einem „knallharten" Business-Seminar für Mitarbeiter eines großen Konzerns, nur wurde hier konsequent auf Basis einer bestimmten Methode gelernt und gelehrt – der Suggestopädie!

Woher kommt diese Methode und welche Bedeutung hat sie für das Lernen und Lehren mittlerweile?

Die Suggestopädie ist eine Methode humanistischer Pädagogik und wurde vom bulgarischen Arzt und Psychologen Georgi Lozanov seit Anfang der Vierzigerjahre entwickelt. Ihre Verbreitung begann in den 1960er-Jahren. Zu Beginn der Siebzigerjahre wurden drei amerikanische Journalisten auf Lozanovs Methode aufmerksam, veröffentlichten Artikel über diese und gaben ihr den Namen „Superlearning". In den USA passten Wissenschaftler diese Methode an die dortigen Verhältnisse an und über die USA kam die Suggestopädie als Lehr- und Lernmethode nach Deutschland und fasste in der Erwachsenenbildung, in der betrieblichen Weiterbildung und auch im regulären Schulsystem Fuß. Zu Beginn wurde die Suggestopädie vor allem in der Fremdsprachenausbildung eingesetzt. Sie findet aber mittlerweile auch immer mehr Eingang in technische Trainings.

Ich erwähne hier zu Beginn ausdrücklich, dass dieser Lehrmethode der Ruf der Pseudowissenschaftlichkeit vorausgeht und sie deshalb auch in der Lehr-Lern-Forschung immer wieder kritisiert wurde. Diese Kritik hängt vor allem mit Lozanovs Untersuchungen zu den erstaunlichen Gedächtnisleistungen der Fakire und Yogis in Indien oder der Rezitatoren der Antike zusammen. Um die Frage zu beantworten, wie diese zu erklären seien, nahm er Messungen der Hirnströme, der Herzfrequenz, des Atemrhythmus und des Hautwiderstandes vor, die ergaben, dass die von ihm untersuchten Personen im Augenblick ihrer geistigen Höchstleistungen völlig entspannt waren. Bei seinen Untersuchungen stieß er auf die Hypermnesie, eine Art „Supergedächtnis". Die Versuchspersonen konnten sich an kleinste Details, die dem Menschen im normalen Wachzustand nicht bewusst sind, erinnern und waren außerdem in der Lage, sich an sehr umfangreiche Inhalte zu erinnern. Diese Gedächtnisleistungen waren aber nicht nur unter Hypnose, sondern auch unabhängig davon, im Wachzustand durch Suggestionen zu erreichen. Dabei unterstützte Lozanow den Behaltensprozess mit bestimmten Musikstücken aus dem Barock, welche – typisch für diese Epoche – einem konkreten Rhythmus bzw. Tempo entsprachen. Der Gedanke dabei: Der Herzschlag des Menschen passt sich dem Tempo, also dem Rhythmus des Musikstücks an, die Musik beeinflusst damit auch den Puls des Menschen. Jeder kennt dieses Phänomen aus eigener Erfahrung. Das Tempo der ausgewählten Barockstücke liegt bei 60 Schlägen pro Minute, was durch die oben erwähnte Anpassung von Puls und Herzschlag im Gehirn den so genannten Alphazustand auslöst. Die messbaren Hirnströme liegen in diesem Zustand bei etwa 8 bis 12 Hz, der Mensch ist entspannt, aber gleichzeitig wach. Damit ist dieser ideal dazu geeignet, in Entspannung Wissen zu verankern. In den heutigen Seminaren wird auch oft auf andere Musikstile mit ähnlichem Tempo zurückgegriffen.

Lozanows Untersuchungen zur Suggestion nannte er Suggestologie, die Wissenschaft von der Suggestion, und die Anwendung seiner Ergebnisse zur Beschleunigung und Verbesserung des Lehrens und Lernens Suggestopädie. Aufgrund dieser Ergebnisse gründete er in den 1960er-Jahren das Institut für Suggestologie in Sofia (Bulgarien).

Kern der Methodik, wie sie heute verbreitet und angewendet wird, „... *ist die Sammlung teilweise bereits bekannter Elemente der Pädagogik und der Lernpsychologie zu einer fassbaren Gesamtmethodik, in der dem Schüler eine hohe Selbstverantwortung für den Lernprozess und ein erheblich mehrdimensionaleres Lernerlebnis geboten und abverlangt wird als im konventionellen Frontalunterricht, gegen dessen Verbreitung sich die Suggestopädie richtet."* (http://de.wikipedia.org/wiki/Suggestopädie)

Die moderne Form der Suggestopädie wird zum Beispiel durch den deutschsprachigen Fachverband, die DGSL (Deutsche Gesellschaft für suggestopädisches Lehren und Lernen), aus den bulgarischen Grundlagen weiterentwickelt. Der Verband sichert die Qualität der Lehre und organisiert Weiterbildungen und Zertifizierungen in der Methode, wie ich sie auch absolviert und vor allem gelebt habe.

In der Suggestopädie als humanistischer Lehrmethode steht der Mensch mit seinen Bedürfnissen, Neigungen und Fähigkeiten im Mittelpunkt! Die folgenden Grundannahmen bilden die Basis. Es lernt sich leichter und effektiver:

- entspannt,
- in einer schönen Atmosphäre,
- wenn alle Sinne – Sehen, Hören und Fühlen (und auch Riechen und Schmecken) – angesprochen werden,
- wenn der Lernende glaubt, dass er leicht lernen kann, und
- wenn gehirngerecht gelehrt wird.

Suggestopäden gehen davon aus, dass Kommunikation und Lernen vor allem auf der unbewussten Ebene stattfinden. Durch wiederum bewusst und gezielt eingesetzte Suggestionen (also z.B. eine positive Verstärkung eines angenehmen Lernerlebnisses) kann dieses Potenzial genutzt werden. Diese Annahme möchte ich an dieser Stelle nicht wissenschaftlich belegen, allein der Gedanke an die Macht und Wirkung der Körpersprache auf die Kommunikation als unbewussten Faktor lässt für mich die Annahme sinnvoll erscheinen.

Was genau ist nun mit Suggestionen gemeint?

Der Begriff *Suggestion* kann mit *Annahme* oder *Glauben* übersetzt werden. Dabei stehen die positiven Suggestionen im Fokus des Trainerwirkens. Der Trainer oder Lehrer hat eine positive Haltung dem Thema, dem Lerner und der Umgebung gegenüber und sorgt dafür, dass das Lernen fortwährend in dieser positiven Haltung und Umgebung stattfinden kann. Als Folge sollen (alte) Ängste und Befürchtungen abgebaut werden (bezeichnet als Desuggestion) und Motivation, Neugier und Ressourcen angeregt werden. Der Lehrende wählt die Methoden so aus, dass positive Lernerlebnisse im Vordergrund stehen. So lässt er Teilnehmer etwa nicht zuerst viele Fehler machen, um diese im Anschluss umfangreich vor der Gruppe zu korrigieren. Das bedeutet nicht, dass Fehler ungewollt sind oder gar verdrängt werden. Der Suggestopäde legt nur den Fokus eher auf das, was schon da ist, was gut läuft und was „noch nicht hinreichend" ist, um ein bestimmtes Ziel zu erreichen.

Ziel der Suggestopädie ist es also, lernhemmende Suggestionen oder Vorurteile, die wie selbsterfüllende Prophezeiungen wirken, abzubauen und durch positive Assoziationen wie Freude und Spaß beim Lernen zu ersetzen. Gedanken wie *„Ich kann das nicht"*, *„Ich war schon immer schlecht in ..."*, *„Was Hänschen nicht lernt ..."* etc. können in einem Seminar abgelöst werden durch ein *„Ich probier's einfach mal"* und später durch ein *„Ich bin (doch) begabt"*, *„Das macht ja erstaunlich Spaß"* o.Ä.

Suggestionen können auf vielen Ebenen eingesetzt werden: Sowohl auf der sprachlichen Ebene, schriftlich wie mündlich, als auch auf der nonverbalen Ebene wie der eben erwähnten Körpersprache also Gestik, Mimik, alle Anregungen des Verstandes, des Gefühls und der Vorstellungskraft. Alles in allem steht der Fokus also auf Wertschätzung, Anerkennung von Ressourcen und dem Wahrnehmen und Arbeiten mit dem, was „da ist".

Suggestopädie kann man auch als „Pädagogik der kreativen Vorschläge" beschreiben (engl. „to suggest" = „anbieten, vorschlagen"). So soll den Lernern ein vielfältiges Angebot gemacht werden, das ihnen viele Wahlmöglichkeiten für ihr Lernen eröffnet. Menschen lernen schließlich unterschiedlich. Verschiedenartige Methoden helfen den Teilnehmern dabei, ihr ganzes Lernpotenzial auszuschöpfen. Um diese Vielfalt zu leben, setzen Suggestopäden einen größeren Fundus an Methoden und Material ein und sind erkennbar an der Art, **wie** sie diese anwenden.

Elemente suggestopädischen Lernens und Lehrens

Die typischen Elemente suggestopädischen Lernens und Lehrens möchte ich später näher und anhand von vielen Beispielen erläutern, deshalb soll hier eine kurze Auflistung der aktuellen Kernelemente der Methode genügen:

- **Die Sinne anregend** soll suggestopädisches Lernen vor allem sein, weil wir nur mit unseren fünf Sinnen (Sehen, Hören, Bewegen, Schmecken, Riechen) die Welt wahrnehmen und verarbeiten können. Idealerweise sollten die Sinne dabei besonders vielseitig angeregt werden.
- **Musik** dient der Atmosphäre und Abgrenzung der einzelnen Seminarphasen voneinander. Vor allem aber ist sie Katalysator – also Wirkverstärker – für die Langzeitspeicherung von Wissen in den so genannten Lernkonzerten.
- **Gruppenarbeit, Partner- und Kleingruppenarbeit** fördern den Austausch und das gemeinsame Erleben.
- **Lernspiele** fördern als Vertiefungsaktivitäten das Verständnis und die Speicherung von Wissen.
- **Mentale Auseinandersetzung** mit dem Lernstoff findet in zwischenmenschlichen Aktionen statt und fördert die kritische Auseinandersetzung als Voraussetzung für gutes Lernen.
- **Periphere Stimuli** wie Farben, Gegenstände, Lernplakate an den Wänden oder Ankerorte schaffen Atmosphäre und unterstützen die unbewusste Aufnahme von

Lernstoff. Die **Raumgestaltung** in Form von Licht, Temperatur, Tischanordnung, Farbgebung und Geruch hängt eng damit in Zusammenhang.

- **Metaphern und Geschichten** senden unbewusste und tief gehende Botschaften, vereinfachen die Darstellung komplexer Inhalte und erhöhen damit die Behaltensleistung.
- Im **Prinzip der Abwechslung**, die dramaturgisch auf Inhalte, Tageszeit und Energiekurven abgestimmt ist, werden Phasen von geistiger Angeregtheit und Konzentration in Ruhe mit aktiven und Entspannungsphasen bewusst eingeplant.
- Die aktuelle **Weiterentwicklung auf Basis der Hirn- und Lernforschung** wird beachtet, indem das Seminar auf einem so genannten Lernkreislauf basiert, der die Inhalte und das Vorgehen methodisch-didaktisch strukturiert und damit den Einsatz der Methoden und Medien nicht willkürlich erscheinen lässt. Insbesondere dieser wird nachfolgend noch näher erläutert.

2.3 „Gnadenlose Beteiligung" aller

Eine Weiterentwicklung der suggestopädischen Gedanken ist das Accelerated Learning, im Deutschen auch **Aktivierendes Lernen** genannt. AL, wie man es abkürzt, wird in der Literatur unterschiedlich beschrieben. Die einen nennen es ein Lernkonzept, die anderen bezeichnen es als Schule über das Lernen, andere wiederum einfach als „Methode".

Das Aktivierende Lernen versucht vor allem eines: die Frage „Wie lernt der Mensch?" bzw. die, wie man die natürliche Lernfähigkeit des Menschen (hier sicherlich des Kindes) erhalten kann, zu beantworten. AL basiert auf Ergebnissen der Lern- und Hirnforschung und will Wissen bzw. neue Fertigkeiten besonders **nachhaltig im Gedächtnis der Teilnehmer verankern**. Der positive Nebeneffekt des AL-Stils ist, so heißt es, eine Verkürzung der Seminarzeit. Diese ergibt sich daraus, dass das menschliche Gehirn nicht nur nachhaltiger, sondern auch schneller lernt, wenn sein Verlangen nach vielfältigen Sinneseindrücken befriedigt wird. Dies soll dadurch gelingen, dass der Mensch während des gesamten Lernprozesses auf mehreren Sinnesebenen angesprochen wird. Adressiert wird also sowohl seine analytische und sprachliche Intelligenz und er wird visuell, auditiv und kinästhetisch gefordert. Das Lernen in der Gruppe unterstützt außerdem die soziale Interaktion und fordert damit auch die soziale Intelligenz der Teilnehmer.

Hierin und in der positiven Gestaltung des Seminarumfeldes überschneidet sich das AL mit dem Ansatz der Suggestopädie. Das AL geht weiter in ihrem recht radikalen Vorgehen der aktiven Einbindung der Teilnehmer, die besagt, dass maximal 20 % Lehrertätigkeit bzw. Input 80 % Teilnehmeraktivierung gegenüberstehen müssen. So erschließen sich Teilnehmer beispielsweise Prinzipien und Bausteine eines neuen Lernstoffes selbst. Voraussetzung ist, dass dieser gut vom Trainer aufbereitet wurde.

Lernspiele, Poster und Musik sind kein Selbstzweck der Abwechslung – auch das Aktivierende Lernen basiert wie die Suggestopädie auf einem **Lernzyklus**, anhand dessen der Trainer sein Seminar strukturiert. Dieser Zyklus bildet das menschliche Lernen in seinem natürlichen Ablauf ab. Der Zyklus des AL beginnt mit der Planung des Lernens, der mentalen Einstimmung. Darauf folgt die Phase der eigentlichen Wissensaneignung, dann die der praktischen Einübung, Reflexion und auch Wiederholung. Den Abschluss bildet die Anwendung in einer realen Situation.

AL WILL ALSO — GENAU WIE DIE SUGGESTOPÄDIE — IN ERSTER LINIE DIE VERSTÄRKUNG DES LERNEFFEKTES ERREICHEN UND ZUSÄTZLICH AUSDRÜCKLICH DEN LERNPROZESS VERKÜRZEN.

Das sinnliche Lernen wird beim AL mit dem **SAVI**-Ansatz von AL-Trainer Dave Meier beschrieben und hat diese Zutaten:

SAVI-Ansatz	
Somatisch	Lernen durch Bewegung und Tun
Auditiv	Lernen durch Sprechen und Hören
Visuell	Lernen durch Beobachten und Vorstellungskraft
Intellektuell	Lernen durch Problemlösen und Nachdenken

Dieser Ansatz meint nicht etwa, dass Lernen sich automatisch verbessert, wenn Menschen sich im Raum bewegen. Er besagt, wenn Trainer Methoden initiieren, bei denen Körperbewegungen, intellektuelle Aufgaben und der Einsatz aller Sinne kombiniert sind, hat dies tief greifende positive Auswirkungen auf das Lernen.

Dazu müssen selbstverständlich alle vier Zutaten in der Lernmethode präsent sein, die immer auch alle miteinander verbunden sind. Auch hier stimmt Accelerated Learning zu 100% mit der Suggestopädie überein.

2.4 „Neu muss es sein" – der Beitrag der Hirnforschung zum Lernen und Lehren

Es würde mehr als nur den Rahmen sprengen, hier alle aktuellen Ergebnisse der Hirnforschung zum Thema Lernen und Lehren zusammenzutragen. Zumal es mittlerweile keine Einigung darüber zu geben scheint, ob die Hirnforschung einen echten, sprich praktischen Beitrag zur Verbesserung des Lehrens beitragen kann oder ob gutes Lernen doch von anderen Faktoren abhängt, wie Lernforscher sagen.

Tatsache ist, dass die Hirnforschung in den letzten Jahren enorme Fortschritte zu verzeichnen hat, gleichwohl steckt sie immer noch in den Kinderschuhen. Die zentrale Frage lautet: Was kann die Schule bzw. die Aus- und Weiterbildung aus diesen Forschungen lernen? Die folgende Übersicht zeigt die Ergebnisse der Hirnforschung vereinfacht und immer noch komplex genug auf:

✓ Menschliches Gehirn und Hemisphären

✗ Das menschliche Gehirn ist ein hochkomplexes System aus Milliarden von Nervenzellen, den Neuronen. Es ist permanent in Erregung und (Inter-)Aktivität – es organisiert, kontrolliert, löscht, lernt neu, bringt Bekanntes zusammen. Es kommuniziert also unablässig. Es ist ein Netz, das sowohl aus genetischen Anlagen als auch aus erlernten differenzierten Funktionen und Arbeitsweisen besteht und in verschiedene Areale vierstelliger Größe aufgeteilt ist. Diese Areale brauchen Koppelungen, Stimuli, Aktivierungen, Assoziationen, die wir ihm tagtäglich bewusst und viel häufiger unbewusst geben. Man geht davon aus, dass wahrscheinlich mehr als 99 % der Gehirnprozesse im Unbewussten ablaufen. Bewusstes Handeln ist also eher eine besondere Art der Hirntätigkeit.

✗ Das Großhirn ist in zwei Hemisphären aufgeteilt, die sich ihre Arbeit weitgehend klar teilen, beide können aber bei Bedarf auch Funktionen der anderen Hälfte übernehmen. Beispielsweise wird die Rhythmuserkennung eher der linken Hemisphäre zugeordnet, für die Melodie als Ganzes ist eher die rechte zuständig. Es liegt auf der Hand, dass beides zusammenlaufen muss, damit ein Mensch ein Lied vollständig und sicher begreifen, also spielen oder singen kann.

✗ Die Hemisphären sind durch einen Nervenstrang, das so genannte Corpus callosum verbunden. Es sorgt für den „Datenfluss" zwischen den Hälften. In Versuchen aus den 60er-Jahren des letzten Jahrhunderts konnte nachgewiesen werden, dass Lernen unmöglich ist, wenn zwischen den Hirnhälften kein Austausch stattfindet. Als Konsequenz kann man also sagen, dass durch dieses „Kabel" permanent Strom fließen muss, damit der Austausch gewährleistet ist. Fließt dieser nur schwach oder gar nicht, ist das Denken blockiert bzw. stehen wir „auf dem Schlauch". Anders herum: Je mehr in dieser Verbindung hin und her gefeuert wird, desto besser kann Lernen und Behalten gelingen. Insgesamt lässt sich daraus also schließen, dass gehirngerechtes Lernen Verarbeitungsarten benötigt, die beiden Hirnhälften und allen Hirnarealen gerecht werden. So sind sowohl analytische, prozedurale und ordnende Herangehensweisen als auch kreative, ganzheitliche, sinnliche im Lernprozess entscheidend.

✓ Lernen

✗ Das Lernen selbst ist ein aktiver Vorgang, der messbare Veränderungen im Gehirn des Lernenden hervorruft. Die Synapsen, also die Kontaktstellen zwischen den Nervenzellen, die die Erregung von Zelle zu Zelle übertragen, vergrößern sich sichtbar, wenn gelernt wurde. Daran ist noch keine konkrete Erkenntnis für das Lehren gebunden, aber da mir dies völlig neu war, hab ich es mir sofort gemerkt. Warum das wiederum erwähnenswert ist, folgt in den nächsten Absätzen ...

✗ Lernen ist die **ideale Aktivität** des Gehirns – es lernt einfach immer! So könnte man in Abwandlung von Paul Watzlawiks Kommunikationsaxiom sagen: „Man kann nicht nicht lernen!" Was lernen wir daraus? Dass z.B. die Aussage älterer Menschen, sie würden das doch nicht mehr lernen, dafür seien sie zu alt, nicht zutrifft. Damit soll doch eher ausgedrückt werden, dass sie ggf. anders lernen, langsamer oder – dass sie es sich einfach nicht mehr so recht zutrauen. An diesem Glaubenssatz über das Lernen „im Alter" könnte man sicher gut arbeiten! Zum Ausgleich können sich ältere Lerner aber auch auf ihren Erfahrungs- und Wissensschatz stützen, ein entscheidender Vorteil beim Lernen. Ich kann mich an jemanden im Alter von 64 Jahren erinnern (und das ist nur ein Beispiel), der aufgrund eines plötzlichen Interessenwandels sehr schnell gelernt hat, wie eine professionelle Recherche im Internet funktioniert, und zuvor kaum Berührungspunkte mit dem Computer hatte. Lernen ist also immer und in jedem Alter möglich und wichtig, auch wenn es uns im Kindesalter leichter fällt.

✗ Lernen setzt eine gewisse **Verarbeitungstiefe** voraus. Das heißt: Nur das intensive Befassen mit Lernstoff hinterlässt sichtbare Spuren im Gehirn, die wiederum Zeichen für Lernen sind. Das Gehirn benötigt dabei eine **interaktive** statt sukzessive Verarbeitung verschiedener Hirnareale. Man sollte sich also nicht mehrfach hintereinander auf die gleiche Art mit dem Lernstoff befassen, dies entspricht genau dem klassischen „Pauken". Die Konsequenz daraus ist vielmehr: Je öfter und abwechslungsreicher die Beschäftigung mit dem Lernstoff ist, desto tiefer ist die Verarbeitung und damit auch das Lernen bzw. Behalten.

✓ **Motivation:** Laut Hirnforschung entsteht Motivation im Gehirn: Es sagt permanent das Geschehen voraus, speichert aber nur, was sich vom Bekannten, also Vorhergesehen abhebt! Es sagt sich dann: „Das war jetzt besser (neu, interessant) als erwartet, bitte lerne das!" Dieses Lernsignal wird durch einen Botenstoff gesetzt, der eine Belohnung signalisiert, wenn etwas Neues gelernt wurde. Nun wissen Sie auch, warum ich mir das mit den vergrößerten Synapsen so gut merken konnte, schließlich wurde ich ja vom Gehirn dafür belohnt!

✓ **Botenstoff:** Dieser oben angesprochene Botenstoff wird übrigens auch beim Konsum von Schokolade, Kokain und beim Hören von individuell als angenehm empfundener Musik ausgeschüttet. Letzterer ist eindeutig der gesündeste Weg, sich zu belohnen, oder? Umgekehrt werden durch die angenehm empfundene Musik die zentralnervösen Strukturen gemindert, die im Gehirn für die unangenehmen Emotionen wie Angst und Aversion zuständig sind. Das erklärt nebenbei auch, warum man singt oder pfeift, wenn man in den dunklen Keller geht. Ich erinnere mich gut daran! Wir sprechen nachfolgend noch eine andere Eigenschaft der Musik an.

✓ Angst und Aversion

✗ Dass diese Strukturen und die damit verbundenen Gefühle Angst und Aversion absolut überlebensnotwendig sind, ist bekannt, deshalb werde ich dies hier nicht weiter erläutern. Die dazugehörigen „Säbelzahntiger-Flucht-Geschichten" kursieren mannigfaltig in Zeitungen und Büchern im Zusammenhang mit der Entstehung von Stress und erklären die Sinnhaftigkeit dieser Gefühle für das Überleben des Menschen sehr gut. Eines jedoch muss unbedingt an dieser Stelle hervorgehoben werden und darin sind sich Hirn- und Lernforscher sowie Vertreter von Suggestopädie und AL einig: **Mit Angst im Nacken lernt es sich einfach viel schlechter als mit Freude und Neugier.** Ist aber einmal der so genannte Mandelkern*) – also die Struktur des Hirns, die für das Erleben von Angst zuständig ist – aktiviert, „*... kann der Fachdidaktiker vorne Hokuspokus machen, die Kinder schnallen trotzdem überhaupt nichts*", so der Arzt Prof. Dr. Dr. Manfred Spitzer in einem Interview.
(http://www.zeit.de/2004/28/C-Spitzer_2fStern2)

*) Der MANDELKERN (Amygdala vom griechischen Wort für „Mandel") ist ein mandelförmiges Gebilde oberhalb des Hirnstammes und Teil des limbischen Systems. Das menschliche Gehirn besitzt zwei davon, je einen in jeder Hirnhälfte, zur Seite des Kopfes hin gelegen. Der Mandelkern ist wesentlich an der Entstehung von Angst beteiligt. Er hilft uns bei der emotionalen Bewertung und Wiedererkennung von Situationen, insbesondere der Analyse möglicher Gefahren. Wird der Mandelkern vom übrigen Gehirn abgetrennt, sind wir nicht mehr in der Lage, die emotionale Bedeutung von Ereignissen zu erfassen – wir erleben das Leben als sprichwörtlich „sinnlos".

✗ Diese oben erwähnte Angst kann z.B. durch Aussagen, Verhaltensweisen und Körpersprache des Lehrenden ausgelöst werden. Ich weiß nicht, welche Lehrer Sie in Erinnerung haben und insbesondere warum. Eines meiner „Lieblingsbeispiele" für besonders schlechten Unterricht sei hier im nebenstehenden Fallbeispiel zu einer Mathelehrerin erwähnt, das besonders die schlechteren Schüler traf. Es sei angefügt, dass es natürlich auch wenige sehr gute Schüler in Mathe gab, die immer mit den anderen litten. Umgekehrt hat jede Schule in der Regel auch Lehrer, die mit Leidenschaft für ihr Fach und Wertschätzung für die Schüler abwechslungsreiche Lernerlebnisse und Lernfreude entfachen können – in unserer Schule gab es diese Lehrer auch. In einem der Fächer bin ich heute tätig und dem Lehrer im Nachhinein dankbar für diese Erfahrungen!

FALLBEISPIEL „ANTI-UNTERRICHT":

Eine meiner Mathelehrerinnen hat mit Angsteinflößung, Demütigung und stupiden Methoden Unterricht gehalten. Ihr Vorgehen, um zu überprüfen, ob wir einen bestimmten Aufgabentyp rechnen konnten: Alle mussten das Mathebuch öffnen und der Schüler in der ersten Reihe vorne begann, die erste Aufgabe laut zu rechnen. Es war strengstens verboten, dass außer dem, der gerade rechnete, jemand anders sprach. So ging es die Reihe durch, zur nächsten Reihe und immer so weiter. Der „besondere Clou" war, dass alle, die nicht wussten, welche Aufgabe gerade gerechnet werden sollte, beide Seiten als zusätzliche Strafarbeit aufbekamen. Vor allem mussten alle aufpassen, ob die Aufgabe von den Vorgängern richtig gerechnet worden war. Wenn nicht, begann der jeweilige Schüler wieder genau mit der falsch gerechneten Aufgabe und es ging an dieser Stelle für den nächsten Schüler weiter. Alle anderen Schüler, die dies nicht bemerkt und weitergerechnet hatten, „durften" ebenfalls alle beiden Seiten im Buch zusätzlich zur Hausaufgabe rechnen.

So passten fast alle auf, die meisten zitterten vor Angst und einige resignierten von Beginn an, indem sie eindeutig falsch rechneten. Wurden sie dabei von der Lehrerin „erwischt", bekamen sie eine extra lange Strafarbeit (vielleicht weil der Lehrerin damit die Genugtuung entging, die sie hatte, wenn mal wieder jemand seinen Fehler nicht bemerkt hatte). Als I-Tüpfelchen lief diese Lehrerin an der Fensterbank auf und ab, klopfte mit ihrem Silberarmband rhythmisch auf die Fensterbank und kommentierte das Geschehen zynisch. So lernten wir aufmerksam zu sein, dass der Stärkere am längeren Hebel sitzt und wie sich Demütigung und Schadenfreude anfühlen. Aber sicherlich keine Bruchrechnung!

Mein Mandelkern und der der meisten Mitschülerinnen und Mitschüler müsste bei diesen Lernmethoden wohl „Alarm geschlagen haben". Der Notenspiegel bei dieser Lehrerin war entsprechend niedrig und viele Schüler hatten selbstverständlich keine Freude und kaum Interesse an diesem Fach entwickelt. Uns wurde auf schlimmste Art beigebracht, dass wir klein, dumm und abhängig waren und für Machtspielchen benutzt wurden. Wer so lernt, lernt allenfalls, um den Schmerz zu vermeiden! Er lernt nicht, weil er sich für das Thema interessiert, es mit Freude mit Bekanntem verknüpft und den Nutzen für das spätere Leben begreift. Manfred Spitzer erklärt dies im erwähnten Interview so: *„Wenn ich weiß, dass die Aktivierung des Mandelkerns dafür sorgt, dass der Schüler nicht mehr kreativ ist, sondern ängstlich und nur noch auswendig lernt, dann unterrichte ich anders. Wir Hirnforscher weisen nach, dass in einer angstvollen Umgebung der Mandelkern für die Repräsentation des Wissens zumindest mitverantwortlich ist. Deshalb muss die Unterrichtsatmosphäre positiv sein, sonst landet der Kram im Mandelkern, und die Kreativität ist dahin [...] Ein Satz wie ‚Ihr seid der Rotz an meinem Ärmel' kann mit neurobiologischem Wissen nicht mehr vorkommen."* (http://www.zeit.de/2004/28/C-Spitzer_2fStern2)

✓ Musik

✗ Musik hat für das Lernen noch eine wichtige Eigenschaft, wie die Wissenschaftler feststellen konnten. Sie aktiviert im Gehirn Strukturen, die wiederum im Gehirn für Wachheit und Aufmerksamkeit entscheidend sind. Musik ist zwar als solche für den Menschen nicht überlebensnotwendig (zumindest nicht evolutionär, einige Menschen würden das anders sehen), aber sie scheint doch einen deutlichen Anteil zum geistigen und körperlichen Wohlbefinden des Menschen zu haben.

✗ Teilnehmer folgern daraus gerne, dass sie beim Lernen Musik hören sollen, und diskutieren energisch darüber, welche Erfahrung sie damit gemacht haben, wie etwa, dass sie sich mit Musik nicht konzentrieren können. Aus der Erkenntnis der Hirnforschung folgt aber zunächst erst einmal, dass angenehm empfundene Musik im Lernzusammenhang förderlich sein kann, wie genau, ist eine individuelle Sache. Aus Erfahrung scheint neben dem Musikstil und der Lautstärke entscheidend zu sein, in welcher Phase des Lernens es sinnvoll sein kann, diese Strukturen besonders zu aktivieren und die Reaktion der Angst signalisierenden Strukturen des Gehirns zu reduzieren. Sie erinnern sich an die angesprochenen Lernkonzerte der Suggestopädie? Lernstoff entspannt, wach und konzentriert und ohne Stress und Angst vor Versagen zu wiederholen, ist der Zweck dieser Methode. Unterstützt wird dieser durch den gezielten Einsatz von Musik. Hier setzen Suggestopäden schon um, was die Hirnforschung herausgefunden hat.

✓ Demotivation vermeiden

✗ Unabhängig von der persönlichen Einstellung zu den Lernern hängt Demotivation sehr oft mit mangelnder Begeisterung des Lehrenden für sein Fach oder Thema zusammen. Die erwähnten Mathe-Beispiele zeigen dies sehr plakativ. Aller Methoden- und Medienmix ist verschenkte Liebesmüh, wenn die Lerner merken, dass der Lehrende selbst nicht an das glaubt, was er lehrt, desinteressiert, gelangweilt oder gar abgestumpft ist. Sätze wie *„Da müssen wir jetzt durch"*, *„Ich finde das auch nicht besonders spannend"* oder *„Jetzt gehen wir mal in den Endspurt"* erzeugen Suggestionen von freudlosem „Durchzieh-Lernen", bei dem die Frage aufkommt, warum die Teilnehmer Interesse aufbringen sollten, wenn doch der Trainer dieses schon nicht kann.

✗ Hinzu kommt, dass das bloße Auflisten von Fakten, egal wie, Menschen nicht dazu bewegt, dies als behaltenswert anzusehen und etwas damit zu machen. *„Was den Menschen umtreibt sind nicht Daten und Fakten, sondern Gefühle, Geschichten und Menschen"*, wie Manfred Spitzer es in seinem Buch „Lernen: Gehirnforschung und die Schule des Lebens" (Spektrum 2006) ausdrückt. Oder hat Sie schon einmal jemand davon überzeugt, etwas Neues auszuprobieren, wenn er selbst nicht vom Feuer der Leidenschaft angesteckt war?

✓ **Methoden für bemerkenswertes Lernen**

✗ „Der *Geist des Menschen ist kein Gefäß, das gefüllt, sondern ein Feuer das entfacht werden will*", sagte schon der griechische Schriftsteller Plutarch. Jedoch sind Methoden, die Teilnehmer etwas erleben lassen, ihre Sinne anregen und ihre Intelligenz ansprechen und ihnen damit ermöglichen, etwas Neues in einer freudvollen und inspirierenden Umgebung zu lernen, natürlich mehr als bloßes Beiwerk. Die Methoden sollten im wahrsten Sinne „**merkwürdiges**" Lernen ermöglichen, statt zu berieseln und vorhersehbar zu sein. Oder wie die Lernforscherin Elsbeth Stern im Interview sagte: „*Zu den größten Freuden der Menschen zählt das Erleben, etwas zu können, dann kommt die Motivation von selbst*". Wir Trainer können mit Wertschätzung, Begeisterung und passenden Methoden unseren Beitrag dazu leisten.

! **Konzequenzen**

→ Seien Sie begeistert von Ihrem Thema und leben Sie es, egal welches es sein mag. Es gibt keine trockenen Themen, sondern nur „trockene Lehrende"!

→ Beziehen Sie sich auf Ereignisse und Geschichten statt auf reine Fakten!

→ Ermöglichen Sie Ihren Teilnehmern die Vernetzung mit bereits Bekanntem. Bauen Sie auf Vorwissen und Erfahrungen auf!

→ Dies erreichen Sie unter anderem, indem Sie gemeinschaftliches Lernen in Gruppen unterschiedlicher Konstellationen einsetzen. Fördern Sie Sozialkontakte beim Lernen so oft es geht!

→ Verbannen Sie Lob für Einzelne, Tadel, den Fokus auf Fehler und deren Korrektur unter dem Deckmäntelchen von Tipps und Ratschlägen sowie Stress und Angst auslösendes Verhalten aus Ihrem Repertoire. Ausnahme bilden Seminare, in denen Stress gezielt gewollt und eingeplant ist, wie die spontane freie Rede vor Publikum.

→ Fördern Sie durch Ihre Methoden und Ihr Verhalten emotionales und sinnliches Lernen!

→ Übertreffen Sie die Erwartungen der Teilnehmer bzw. ihrer Gehirne. Tun Sie Dinge anders, damit sie bemerkenswert sind. Vermeiden Sie Dinge zu tun, nur weil jemand diese erwartet!

3 Lernen braucht Rhythmus

Sucht man in Lexika den Begriff Rhythmus, wird deutlich, dass dieser vor allem in den Bereichen Kunst und Natur eine entscheidende Rolle spielt:

- Rhythmus sorgt in der Musik und der Poesie für die nötigen Akzente.
- Er gliedert die sprachliche Rede als zeitliche Komponente.
- In der Prosa dient der Rhythmus regelmäßiger Abfolgen von Mustern als rhetorisches Mittel zum besseren Sprachfluss.
- In der Dramaturgie gliedert der Erzählrhythmus die zeitliche Abfolge von Spannungselementen.
- Der biologische Rhythmus zeigt uns die regelmäßig wiederkehrenden Zustände und Veränderungen von Organismen.

Und der Rhythmus beim Lernen?

Bei näherer Betrachtung würde ich sagen, dass er von allem ein bisschen hat:
- Er sorgt für die nötigen Akzente, also Hervorhebungen, die den Lernprozess interessant und spannend halten, so wie die Akzente in einem Musikstück.
- Er gliedert den Seminartag als zeitliche Komponente in einzeln unterscheidbare Teile oder Phasen, diese wiederum können als einzelne Spannungselemente des Themas angesehen werden.
- Er sorgt für den nötigen „Fluss", der die Teilnehmer in Gang bringt und ihr Interesse und ihre Neugier aufrecht hält.
- Er lässt erkennen, was schon hinter einem liegt, was noch kommen wird und inwiefern man durch den Lernprozess im Anschluss daran nicht mehr genau der ist, der man zuvor war. Man verlässt also das (Lern-)Haus nicht so, wie man es zuvor betreten hat.

Welche genauen Rhythmen sind also typisch und hilfreich für das Lernen?

3.1 Der methodisch-didaktische Lernkreislauf

Wer zum ersten Mal ein Seminar gibt, orientiert sich meist an den Themen und wie er diese in die „richtige" Reihenfolge bringen kann. Fragt man Kollegen, wie sie es machen, ist dies der übliche und nicht verkehrte Weg, ein Seminar zu planen – aber es ist nur einer bzw. nur ein Teil des Weges.

Damit Sie nachvollziehen können, welche Teile fehlen könnten, bitte ich Sie um ein Experiment, eine kleine Übung.

Übung

Lassen Sie sich bitte von jemand anderem die folgende kleine Geschichte in normalem Sprechtempo vorlesen, gerne mit einer Wiederholung. Sie dürfen sich dabei keinerlei Notizen machen.

Erzählen Sie **unmittelbar im Anschluss** diese Geschichte so genau wie möglich laut nach. (Versuchen Sie es gerne auch nach 15 Minuten noch einmal. Die Geschichte lautet wie folgt (ich habe sie nicht erfunden, man findet sie in veränderten Varianten mehrfach in der Literatur und im Internet):

Ein Zweibein saß auf einem Dreibein und aß ein Einbein. Da kam ein Vierbein und nahm dem Zweibein das Einbein. Darauf nahm das Zweibein das Dreibein und schlug damit das Vierbein.

Und nun wiederholen Sie bitte auswendig die Geschichte so genau wie möglich!

Und? Wie gut waren Sie im kurzfristigen Behalten? Mhh, die Ergebnisse fallen in meinen Seminaren recht unterschiedlich aus: Manch einer schafft es ziemlich gut, wenn zwischen Kennenlernen des Textes und der Rezitation nicht allzu viel Zeit vergeht. Mindestens 50 % hören aber schon freiwillig nach den ersten Beinen auf und geben an, ziemlich verwirrt zu sein.

Stellen Sie sich nun vor, Sie hätten dieses Experiment auf folgende Art gemacht:

1. Sie wären kurz auf die Aufgabe vorbereitet worden, indem man Ihnen zuvor gesagt hätte, was auf Sie zukommt und dass Sie ausreichend Gelegenheit haben werden, sich die Geschichte gut zu merken.
2. Man hätte Ihnen gesagt, dass Sie sich diese Geschichte erst einmal in Ruhe anhören können und Sie hätten der Geschichte nun erst einmal in Ruhe gelauscht.
3. Dann wären Sie gefragt worden, ob Sie die Geschichte an etwas erinnert bzw. was mit den Beinen gemeint sein könnte. In der Regel übersetzen die meisten die Geschichte so:
   Ein Mensch saß auf einem Schemel und aß ein Hühnerbein (oder Eisbein). Da kam ein Hund und nahm ihm dieses weg. Da nahm der Mensch den Schemel und schlug damit den Hund. Sie auch?
4. Angenommen, nun würden Sie noch ein Blatt bekommen, auf dem diese Geschichte in der Übersetzung sowohl als Text als auch in Bildern zu sehen ist. Wie sicher wären Sie jetzt, die Geschichte gut auswendig wiedergeben zu können?

Ein Mensch saß auf einem Schemel und aß ein Hühnerbein.

Da kam ein Hund und nahm ihm dieses weg.

Da nahm der Mensch den Schemel und schlug damit den Hund.

Zum Schluss bekämen Sie zur eigenen Wissensüberprüfung noch einen Lückentext, in den Sie die Anzahl der Beine eintragen, den Rest der Geschichte können Sie lesen.

- Wie sicher könnten Sie den Lückentext ausfüllen und im Anschluss die Geschichte erzählen?
- Könnten Sie dies noch nach 10 Minuten? In 3 Stunden? Morgen? Nächste Woche?

Ich glaube, Sie könnten es – nein, ich weiß es aus Erfahrung!

Lückentext zur Geschichte

Ein .... saß auf einem .... und aß

ein .... Da kam ein .... und nahm

dem .... das .... Darauf nahm

das .... das .... und schlug damit

das ....

3.1.1 Die sechs Phasen des bemerkenswerten Vermittelns

Was hat das Einbein-Zweibein-Dreibein-Experiment nun mit unserem Thema zu tun? Nun, die fünf Schritte, die Sie oben als den erfolgreicheren Weg kennen gelernt haben, entsprechen den fünf Phasen eines Kreislaufes, der sich gut zu Vermittlung von Inhalten eignet, und es kommt noch ein letzter Schritt hinzu. Dieser Kreislauf ist nicht nur „gut", sondern nahezu unabdingbar, wenn Inhalte langfristig verstanden und behalten werden sollen. Der Schwerpunkt dieses Kreislaufes liegt nicht bei den Seminarinhalten, sondern bei Art und Abfolge der Vermittlung, also der Methodik und Didaktik.

In leichter Abwandlung vom suggestopädischen Lernkreislauf sieht dieser in der Übersicht nun so aus:

1. Phase: Centering/Motivation = Konzentration und Interesse

↓

2. Phase: Wissensvermittlung = Vorstellung des Lernstoffes

↓

3. Phase: Wiederholung = einfaches Wiederholen

↓

4. Phase: Vertiefung = Verstehen und Festigen

↓

5. Phase: Anwendung = Üben und Ausprobieren

↓

6. Phase: Integration = Zusammenfassung der Themeneinheit

Nun möchte ich Ihnen den Sinn und Nutzen der sechs Phasen im Einzelnen vorstellen. Konkrete Methoden zu den jeweiligen Phasen erfahren Sie im Kapitel 6.

Phase 1: Die Motivationsphase oder das Centering
... findet im Seminar an zwei Stellen statt:

1. Erstens zum Beginn des Seminartages und
2. zweitens **immer** zu Beginn eines neuen Themas.

Zum Seminarbeginn sollen die Teilnehmer sich (kon)zentrieren, also ankommen, sowohl in der Lernumgebung als auch beim Thema. Grundlegend ist, den Lernenden dort abzuholen, wo er gerade gedanklich und emotional steht. Er bekommt die Möglichkeit, seinen Bedarf und sein Dasein (im Seminar) zu erkennen und Vertrauen zu den anderen Teilnehmern aufzubauen. Hier entsteht also die Basis für eine funktionierende vertrauensvolle Zusammenarbeit, die man bei jeglichen Themen benötigt.

In einem Seminar zu Führungskompetenzen liegt das auf der Hand, bei primärer Wissensvermittlung (z.B. bei IT-Themen) fragen Sie sich vielleicht nach dem Warum, aber glauben Sie mir: Dies hat wichtige Funktionen für den Lernprozess, dies wird gleich aufgezeigt. Außerdem wird hier dem Bedürfnis nach Überblick und Struktur nachgegangen, denn in dieser Phase erhalten die Teilnehmer einen Überblick, was sie erwartet und wie dies vonstattengeht. Die Teilnehmer erhalten in dieser ersten Phase also gute Gründe und Sicherheit, sich auf den Tag, die Inhalte und die Gruppe einzulassen.

Warum ist diese Phase sinnvoll?
Nahezu jeder Mensch bringt eigene „Themen" mit in den Seminarbeginn, die ihn zunächst einmal vom guten Lernen abhalten, wie etwa: Kinder unterbringen, Stau auf der Autobahn, Hunger, Müdigkeit, Parkplatzsorgen, familiäre und berufliche Probleme, Krankheiten oder einfach nur diverse Telefonate, die eigentlich dringend

erledigt werden sollen. Diese Themen hindern zunächst daran, sich überhaupt auf den Tag einzulassen. Oft sind diese Menschen noch ganz in Gedanken, zeigen gestresstes Verhalten und setzen sich selbst unter Druck, in einer Vorstellungsrunde auch noch etwas über sich zu sagen und dabei „gut" zu wirken.

Ein anderes Problem hängt mit dem Seminarthema selbst zusammen, dem so mancher nicht immer neugierig und interessiert gegenübersteht:

- Einige Teilnehmer sind „geschickt" worden und wissen gar nicht genau, warum sie da sind bzw. teilnehmen sollen. Sie haben also aus ihrer Sicht keinen Bedarf und so auch weniger Motivation für den Tag. Das ist nachvollziehbar und Sie sollten dies neutral wertschätzen und ansprechen. Selten kommt es vor, dass die Ablehnung teilzunehmen sehr groß ist. Solange Sie in der Auftragsklärung sauber die Ziele des Seminars herausgearbeitet haben und es sich um einen Einzelfall handelt, habe ich gute Erfahrungen damit gemacht, eine konkrete Vereinbarung zu treffen. Fragen Sie den Teilnehmer z.B., unter welchen Bedingungen er bereit ist mitzumachen, und beobachten Sie dessen Verhalten im Seminar. In der Regel findet jeder nach kurzer Zeit seinen Weg ins Thema. Ist dies nicht der Fall und Sie bemerken spitze Kommentare, Übungsboykott oder Ähnliches, suchen Sie erneut das Gespräch. Dies ist mir bisher nur zweimal passiert und Sie sollten dabei die Arbeitsfähigkeit der gesamten Gruppe im Fokus haben, anstatt wertvolle Zeit mit Diskussionen zu verbringen. Bitte verwechseln Sie nicht Kritik mit mangelnder Motivation, erstere soll und muss immer willkommen sein! Im Zweifel steht es jedem Teilnehmer frei, das Seminar zu verlassen.

- Viele Teilnehmer besuchen Seminare, weil sie „einfach mal raus" wollen aus ihrem beruflichen Alltag und sie das Thema grundsätzlich interessiert. Sie haben sich jedoch selten im Vorfeld konkrete Gedanken gemacht, auf welche Fragen sie gerne eine Antwort hätten, und wollen „einfach mal schauen, was so kommt". Auch dies ist ein nachvollziehbarer Grund, zumindest entspricht es der aktuellen Wahrheit. In der Weiterbildung ist es ferner üblich, dass man sich einfach mal ein Thema angedeihen lassen kann, und manchmal kommt der Appetit ja auch beim Essen.

- Die meisten Teilnehmer wollen, wenn auch oft unbewusst, andere Gleichgesinnte kennen lernen, um festzustellen, dass sie mit ihren Problemen und Fragen nicht allein dastehen. Diese Erkenntnis ist so profan und gleichzeitig so wichtig! Jeder von uns hat schon einmal erlebt, wie gut es tut festzustellen, dass man nicht der Einzige auf der Welt ist, der beispielsweise Schwierigkeiten hat, mit seinem Chef Klartext zu reden.

Voraussetzung dafür ist, dass Sie als Trainer deutlich vor Beginn des Seminars, der Schulung etc. anwesend sind, um selber keinen Stress bei der Seminarvorbereitung zu haben (und auszustrahlen) und Ihre Teilnehmer angemessen zu empfangen.

! Tipp:

Gönnen Sie sich diese Zeit und Ruhe für sich selbst, bevor es losgeht, und grenzen Sie diese Phase klar von der Begrüßungsphase und dem Kontakt mit den Teilnehmern ab. Das heißt nicht, diese zu ignorieren, wenn sie vor Seminarbeginn den Raum betreten. Jedoch gehören inhaltliche Gespräche und intensiver Smalltalk in die Pausen, vor allem, wenn Sie mit Ihren Vorbereitungen nicht fertig sind. Erklären Sie höflich, sich noch Zeit nehmen zu wollen.

Zu Beginn eines neuen Themas steht in dieser ersten Phase des Kreislaufes die **Motivation** im Vordergrund.

Hier ein Beispiel zur Erklärung: Wenn Sie in einem Excel- Grundlagen-Seminar ein neues Thema damit beginnen, nun die Autofilter näher zu erläutern, wissen die Teilnehmer zwar grob, was inhaltlich auf sie zukommt, aber sie wissen nicht, wozu sie das lernen sollen. Ich bin mir nicht sicher, wie es Ihnen geht: Wenn ich nicht weiß, was ich mit einer Sache anfangen kann, habe ich kaum Interesse, mich damit zu befassen (wie es oft in der Schule der Fall war). Wenn Sie jedoch mit den Problemen einsteigen, die man bei der Auswertung großer Listen hat, und dann die Autofilter als einfache Losung gleich mehrerer Probleme vorstellen, werden Sie mit hoher Wahrscheinlichkeit auf großes Interesse stoßen. Sie werden außerdem die nötige Motivation auslösen, diese Autofilter nun kennen lernen zu wollen. Die einfache Erkenntnis lautet: Es lernt und lehrt sich viel leichter, wenn alle Beteiligten es auch wollen!

Vielleicht denken Sie, dass es selbstverständlich sei, auf diese Art ins Thema einzusteigen. Ich finde das auch selbstverständlich, aber die Praxis zeigt, dass noch viel zu oft eine Themenliste abgearbeitet wird, statt eine Motivationswelle auszulösen.

Phase 2: Die Wissensvermittlung

... dient einzig der Vorstellung des Lernstoffes. Etwas simpel ausgedrückt heißt das: Sie als Trainer stellen etwas vor und die Teilnehmer verfolgen dies. Weder tippen die Teilnehmer etwas (wie z.B. in einem IT-Seminar) noch unterhalten sie sich darüber oder Ähnliches. Wie immer bestätigen Ausnahmen die Regel, wie wir bei den Methoden in Kapitel 6 noch näher klären werden.

Während Sie in der Motivationsphase verdeutlicht haben, was gut daran ist, sich mit dem Thema zu befassen, können Sie nun darauf aufbauend mit der Vermittlung beginnen. In der Regel erklären Sie also einen Sachverhalt bzw. stellen ein Thema vor. Sie tun dies mithilfe von Medien wie Flipchartposter, der Abbildung einer Software am Beamer, Karten oder auch nur mittels einer verbalen Erläuterung.

Erklären Sie den Teilnehmern spätestens hier noch mal, dass sie Gelegenheit bekommen, durch Wiederholung und Vertiefung das Thema wirklich zu verstehen. Viele Teilnehmer sind es nicht gewöhnt, während der Vermittlung nur konzentriert zu folgen und selbst nichts zu tun. Sie wissen oft aus Erfahrung, dass Trainer dann ohne diese Schritte sofort im Stoff weitermachen, und befürchten, etwas zu verpassen. Wenn Sie analoge Medien wie Poster oder Karten und Pinnwände verwenden, haben Sie die Möglichkeit, diese sichtbar aufzuhängen bzw. aufzustellen.

Das hat drei Vorteile:

1. Die Teilnehmer können jederzeit auf die Plakate und Wände schauen und sich daran jederzeit orientieren.
2. Sie können sich als Trainer im Rahmen unterschiedlicher Methoden, wie etwa der „Piazza" oder dem „Lernkonzert" (siehe Kapitel 6.2.2.2), oder einer einfachen Wiederholung am folgenden Tag darauf beziehen.
3. Falls Sie einmal ein neues Thema schulen und inhaltlich noch nicht zu einhundert Prozent sicher sind, helfen Ihnen vorbereitete Plakate oder andere „analoge" Medien, sich an die Inhalte zu erinnern.

Als ich beispielsweise das erste Mal ein Microsoft-Outlook-Seminar gab, wusste ich nicht mehr auswendig, wie genau eine Umfrage mittels Schaltflächen funktioniert. Der Weg in die Optionen von Outlook war mir noch nicht geläufig genug. Auf dem Plakat, das ich zur Wissensvermittlung vorbereitet hatte, standen jedoch alle Informationen, sodass ich diese nun souverän und frei sprechend vortragen konnte. Sie können einfach seitlich vom Flipchart stehen und dennoch einen Blick darauf werfen und gleichzeitig sprechen, was bei der Beamerprojektion nicht funktioniert. Hier erkennen die Zuhörer in der Regel sofort, ob Sie das auf der Folie stehende tatsächlich kennen und verstanden haben oder ob Sie unsicher ablesen.

Warum ist diese Phase sinnvoll?

Wenn ich mir etwas Neues aneignen will, muss ich es erst gesehen und verstanden haben, um es erfolgreich anzuwenden. Wenn ich stricken möchte, betrachte ich zunächst von außen, wie man grundsätzlich die Nadeln hält, stelle beim Hinsehen und Zuhören fest, dass es unterschiedliche Arten von Nadeln gibt und mindestens zwei Methoden, den Faden durch eine Schlaufe zu ziehen, damit ein Strickstück daraus wird. So entwickle ich eine Vorstellung davon, was es heißt, zu stricken, bevor ich dies selbst tue. Dies kann ich nicht, wenn ich sofort alles nachmache, was mir jemand vormacht, wie etwa über zwei Nadeln die ersten Maschen aufzunehmen.

„Ohne Vorstellungen kein Verstehen" lautet eine wichtige Regel in der Kommunikation und auch beim Lernen trifft diese zu. Ergänzen müsste man durch „ohne Vorstellung und Verstehen keine Umsetzung".

Umgesetzt auf ein IT-Seminar bedeutet dies beispielsweise: Klicke ich einfach nur mit, was der Trainer vorne zeigt, verrichte ich eine Art mechanische Arbeit, bei der ich nicht weiß, warum und wie ich etwas tue. Ich kann mir nicht selber helfen, wenn etwas einmal anders sein sollte, als ich es in der Abfolge kennen gelernt habe, da ich es nicht wirklich verstanden, sondern nur auswendig gelernt oder abgelesen habe. Ich kann also weder Fehler erkennen noch etwas ableiten und auf andere Situationen beziehen, wenn ich etwas nur „nachmache".

Was sollten Sie beachten?
Erinnern Sie sich an die Aussagen über das Lernen aus der Gehirnforschung? Das wichtigste für die Motivation der Teilnehmer ist das Interesse und die Leidenschaft des Lehrenden für das Thema. Dieses Feuer können Sie erkennen an der Art und Weise, wie jemand etwas vermittelt – an seinem Stimmklang, der Körpersprache – und ob dies mit den eingesetzten Medien übereinstimmt.

Dies gelingt mit drei Dingen:
1. Fachwissen für die Sicherheit,
2. freie Rede für das lebendige Sprechen und
3. Medieneinsatz, der das Gesagte erlebbar macht und es als etwas Neues abhebt.

Leider wird dies (zu) selten konsequent umgesetzt. Das beliebteste Medium scheint aktuell immer noch die „Folie" – vielmehr der „Foliensatz" – zu sein. Gemeint ist damit gleichermaßen die klassische (Overhead-)Folie und deren Nachfolger, nämlich die „Folie" als PowerPoint-Seite.

Die Folien bzw. PowerPoints selbst sind dabei gar nicht das eigentliche Problem. Es ist zum einen die Menge bezogen auf die Zeit, in der sie gezeigt werden, und zum anderen die Art, wie man die darauf stehenden Inhalte vermittelt. Auf den Punkt gebracht ist es weder interessant noch verständlich als „Folienjockey" möglichst viele Folien in wenig Zeit abzulesen. Dafür benötige ich keinen Trainer, Referenten oder Präsentierenden. In meinen Seminaren drücke ich es gerne etwas provokant mit dem Satz aus: *„Da les ich mir die Sachen doch lieber ausgedruckt in der Badewanne durch, da ist es wenigstens gemütlich."* Viele der Teilnehmer des Train-the-Trainer-Seminars erkennen erst, wenn sie im Laufe des ersten Seminartages aktivierende Methoden selbst erleben durften, dass sie eigentlich Vorträge statt Seminare halten. Machen Sie es anders, indem Sie die Phasen des Lernkreislaufes als didaktische Hilfe umsetzen.

Hinweis:

Im Kapitel 5.4 über Raumsettings gehe ich näher darauf ein, wie der ideale Raum gestellt sein sollte, in dem der Lernkreislauf am besten umgesetzt werden kann. Viele meiner Kunden haben sich darauf eingestellt und ihre Räume umgestaltet, nachdem ihnen die Vorteile klar waren. Die Erfahrung zeigt jedoch: Räume sind oft immer noch „klassisch" angeordnet – in Reihen. Beispielsweise für IT-Seminare bedeutet dies, dass die Teilnehmer in den Reihen hintereinander sitzen und neben ihrem Monitor vorbei schauen müssen, um vorne etwas zu sehen, gleichzeitig haben sie aber vor allem ihren Bildschirm und ihre Maus vor sich. Mindestens 50 % der Teilnehmer zucken reflexartig mit der „Maushand" und klicken mit, während sie etwas gezeigt bekommen.

Erinnern Sie sich an die zweite Runde der Einbein-Zweibein-Dreibein-Übung, in der Sie auf die Geschichte gut vorbereitet wurden? Sie tun als Trainer also gut daran – und das gilt generell –, vor Seminarbeginn Ihre Didaktik zu erläutern und klarzumachen, dass jeder Teilnehmer ausreichend Gelegenheit hat, das zu Erlernende zu verstehen und auszuprobieren. Dann lassen viele trotz „Frontalunterricht" die Hand von der Maus (bzw. vom Stift zum Mitschreiben) und folgen zunächst Ihren Erläuterungen. Der Mensch möchte eben immer gerne wissen, warum er etwas machen oder unterlassen soll.

Phase 3: Die Wiederholung

... folgt ganz dem Leitsatz „Einmal ist keinmal". Stellen Sie sich vor, Sie hätten die Einbein-Zweibein-Dreibein-Geschichte nur einmal gehört? Die Chancen, sie auch am folgenden Tag noch auswendig aufsagen zu können, stehen nahezu null. Unmittelbar nach der Erzählung schaffen es immerhin noch bis zu 50 % der Teilnehmer, aber Wissen sollte mittel- bis langfristig zu Verfügung stehen.

Warum ist diese Phase sinnvoll?

Es braucht mehr als nur einen Kontakt zum Lernstoff. Die Wiederholung ist das Minimum, das Sie geben müssen, um Teilnehmern das Behalten zu ermöglichen.

Was sollten Sie beachten?

Bedenken Sie in der Wiederholung noch die gehirngerechte Komponente: Sie sollte auf eine andere, bemerkenswerte Art geschehen, sich also zumindest von der vorherigen Methode positiv abheben. Konkret bedeutet das: Wenn Sie zuvor mittels

Poster vermittelt haben, wiederholen Sie am Beamer, mittels Karten, auf einem interessant gestalteten Arbeitsblatt oder nur verbal anhand eines Beispiels o.Ä., sodass das Gehirn neugierig bleibt. Ich mache regelmäßige Umfragen, insbesondere bei IT-Trainern, ob sie überhaupt und, wenn ja, unmittelbar nach der Vermittlung auf diese Art wiederholen. Das Ergebnis ist, dass oft darauf verzichtet wird, und das aus drei Gründen:

1. Man habe ja unmittelbar zuvor schon erklärt und käme sich dann komisch vor.
2. Man wiederhole ja, aber erst nachmittags und dann noch einmal den Stoff des gesamten Vormittags.
3. Man habe dazu keine Zeit und müsse den Stoff durchziehen (dieses Argument wird gegen jegliche Methoden bzw. Phasen des Lernkreislaufes aufgeführt, die über die Wissensvermittlung und eine Übungsphase hinausgehen).

Der erste Grund lässt sich entkräften, sobald man als Trainer mal wieder selbst Teilnehmer ist. Hier merkt jeder: Man kann in der Regel noch so aufmerksam und interessiert sein, beim ersten Kontakt mit etwas Neuem müssen wir dies erst einordnen und sortieren. Eine echte Behaltensleistung ist hier noch nicht möglich.

Der zweite Grund ist nicht hinreichend, weil dies gleichzeitig bedeutet, dass am gesamten Vormittag permanent Neues passiert, wovon aber schon die Hälfte nach wenigen Minuten, nämlich wenn wieder Neues kommt, zu 50% vergessen ist. Dies führt dazu, dass den Teilnehmern permanent das Vorwissen für das darauf folgende Thema fehlt und am Nachmittag eigentlich alles noch mal von vorne beginnt – wenig effektiv und nicht sehr motivierend für die Teilnehmer.

Der dritte Grund bedarf eigentlich fast keines Kommentars. Wer mit diesem Prinzip Seminare hält, gefällt allenfalls dem Auftraggeber und seinem Kostenbewusstsein. Er entspricht aber weder den Teilnehmern noch seinem Bildungsauftrag und macht es sich leicht, auf dieses Argument zu bauen. Gute Methodik und Didaktik benötigt nicht mehr Zeit in der Durchführung, weil diese an anderer Stelle eingespart wird.

Die Methoden aktivieren gezielt die Selbstlern-Ressourcen der Teilnehmer, die letztendlich auf diese Weise schneller und nachhaltiger lernen. Durchziehen von Lernstoff ist außerdem für den Trainer ein stressiges Vorgehen im Vergleich zu aktivierenden Methoden. Schließlich sind dabei hauptsächlich die Teilnehmer aktiv und so sollte Lernen ja auch durchgeführt werden – für die Teilnehmer und hauptsächlich mit ihnen.

Phase 4: Die Vertiefung

… scheint die bekannteste Neuerung im methodisch-didaktischen Vorgehen zu sein. Bekannt deshalb, weil für jeden bekannt im Sinne von nachvollziehbar ist, dass es Vorteile hat, etwas Neues zunächst verstanden zu haben, bevor man es anwendet. Zur Anwendung zählt hier natürlich auch das Üben. Neu ist die Phase für die meisten deshalb, weil sie kaum einer aus seiner Schul- oder Seminarzeit kennt, noch als Trainer in seinen Seminaren anwendet, wenn er nicht eine entsprechende Weiterbildung besucht hat.

Warum ist diese Phase sinnvoll?

Sie erinnern sich an das Arbeitsblatt mit der verbalen und bildhaften Übersetzung der Einbein-Zweibein-Dreibein-Geschichte und den Lückentext im Anschluss? Erst diese beiden Methoden der Wiederholung **und** Vertiefung führen dazu, die Geschichte fehlerfrei und ohne Unterstützung aufzusagen und sie auch langfristig zu behalten. Es nützt wenig, nach der Wissensvermittlung zu üben, wenn der Trainer doch einzelne Teilnehmer immer wieder unterstützen muss und es letztendlich für sie macht.

Was sollten Sie beachten?

Die Anzahl der Methoden für diese Phase reicht so weit wie die Kreativität der Trainer, die sie anwenden wollen. Zu Beginn fehlt meist die eine oder andere zündende Idee, die man abgucken oder so verändern kann, dass sie auf das eigene Seminarthema passt. Im Kapitel 6 finden Sie zahlreiche Vertiefungen, die auf jegliche Themen übertragbar sind. Wichtig ist einzig, das **Prinzip** der Methode zu erkennen!

Phase 5: Anwendung

Erst in dieser Phase wird endlich klassisch geübt. Idealerweise haben die Teilnehmer zuvor gemeinsam den neuen Lernstoff er- und bearbeitet, sodass sie nun eine Aufgabe am Computer lösen, in einem Rollenspiel eine Gesprächstechnik ausprobieren, einen Projektplan erstellen, ansprechende Plakate für Seminare erstellen können, oder was auch immer das letztendliche Ziel der Seminarphase war.

Warum ist diese Phase sinnvoll?

Der Sinn des Übens selbst muss nicht besonders erläutert werden. In dieser Phase sind vor allem die Teilnehmer aktiv, der Trainer beobachtet, unterstützt bei „Hängern" und fördert das gemeinsame Lernen der Teilnehmer. So lässt er beispielsweise Aufgaben in Partnerarbeit lösen, Gesprächstechniken in Dreiergruppen mit Beobachter üben und fordert auf, sich bei Bedarf im Raum zu bewegen und zu schauen, wie andere die Aufgaben lösen. Der Austausch untereinander, „Abgucken" und kollegiales Korrigieren werden von allen als locker und lehrreich empfunden und oft klären Teilnehmer auftauchende Fragen gegenseitig und selbstständig.

Was sollten Sie beachten?

Je weniger Sie als Trainer in dieser Phase machen, desto besser sind die vorherigen Phasen gelaufen, da jeder etwas konkret übt und darauf ausreichend vorbereitet wurde. Es zeigt außerdem, dass das Konzept des Selbstlernens von den Teilnehmern angenommen wurde.

Phase 6: Integration

… damit endet ein Thema, es ist die Phase, die den Kreislauf und damit das Thema für den Moment abschließt. Hier sollten Dinge geschehen, die den Teilnehmern bestätigen, das Thema bis hierhin verstanden und erfolgreich umgesetzt zu haben, sodass sie es außerhalb des Schonraumes „Seminar" genauso erfolgreich anwenden können.

Warum ist diese Phase sinnvoll?

Wir Menschen haben das Bedürfnis, eine **Gestalt** – in diesem Fall den Kreis(lauf) – abzuschließen. Geschieht dies nicht, haben wir das Gefühl eines offenen „Loops", einer Schleife, die so lange wieder auftaucht, bis wir eine Sache für abgeschlossen erklären.

Erinnern Sie sich einmal an eine größere Arbeit, die Sie im Haus zu verrichten hatten. Nehmen wir als Beispiel einen Dachboden, der ausgebaut werden soll und auf dem noch viele alte Gegenstände stehen. Ich bin mir sicher, dass die meisten nicht mit der Renovierung beginnen würden, solange diese Gegenstände nicht komplett vom Dachboden entfernt sind, selbst wenn dies im vorderen Teil des Raumes möglich wäre. Denn die nicht vollständige „Leerung" des Dachbodens hält davon ab, die nächste Gestalt, nämlich die Renovierung, zu beginnen. Gleichzeitig „schießt" das Bild des nicht komplett leer geräumten Dachbodens immer wieder in unser Bewusstsein und blockiert wichtige Ressourcen. Wie befriedigend hingegen ist allein der Anblick des leeren Dachbodens, also der geschlossenen Gestalt?

GEBEN SIE SICH UND VOR ALLEM IHREN TEILNEHMERN DAS GUTE GEFÜHL DES ABSCHLUSSES NACH JEDEM THEMENBLOCK. HAKEN SIE DIE DINGE AB UND VERBUCHEN SIE SIE ALS ERFOLGREICH BEARBEITET.

Was sollten Sie beachten?

Nun stellt sich natürlich wie bei allen Seminarphasen die Frage, wie genau Sie ein Thema abschließen könnten. Da Integrationen am Ende eines Themas eher „kleine" Interventionen sind, hier schon einmal ein paar Beispiele für die Praxis:

BEISPIELE FÜR DIE SCHLUSSPHASE

✓ **Blicken Sie mit den Postern verbal-visuell auf das Thema zurück**

Wenn Sie diese konsequent im Raum aufgehängt haben, wirkt dieser schöner (o.k., das hängt von der Qualität Ihrer Flipcharts ab, dazu später mehr) und zweitens können Sie durch das Daran-entlang-Laufen kinästhetisch verdeutlichen, wie viel die Teilnehmer schon erfolgreich geschafft haben. Natürlich kommentieren Sie die Poster dabei noch einmal und stellen das Wichtigste heraus.

✓ Ebenso flott wie passend sind gezielte Fragestellungen

✗ Beispiel PowerPoint-Seminar: *„Angenommen, Sie wollten einem Kollegen morgen erklären, wie man ein Organigramm in PowerPoint zügig und sauber erstellt – was würde Ihnen dazu jetzt noch fehlen?"* Im Idealfall lautet die Antwort: *„Nichts"*, und es könnte kaum eine bessere Bestätigung für erfolgreiches Lernen geben als diese. Die Teilnehmer haben es ausreichend geübt, sich umfangreich darüber ausgetauscht, was den Lernstoff automatisch festigt, und Handouts und eigene Notizen zum Thema, um sich noch besser zu erinnern.

✗ Beispiel „Kommunikation": *„Welche Erkenntnis zum Thema ‚Fragearten' ist für Sie momentan die wertvollste?"* Ihnen fallen sicherlich noch weitere Fragen zu diesen Seminarthemen ein! Beachten Sie, dass sich diese gezielt auf einen Aspekt des Themas beziehen und hervorheben, was „schon da ist" bzw. wichtig war.

Am Ende des Seminartages kann es gerne mal etwas länger sein. Hier können Sie ferner vertiefende Methoden einsetzen, um das Gelernte noch einmal spielerisch zu festigen und damit den Tag abzuschließen. Konkrete Methoden dazu finden Sie im Kapitel 6.

Wenn es aber zeitlich knapp wird, und das tut es ab und an bei eintägigen Veranstaltungen, sollten Sie **den Tagesabschluss niemals komplett „schludern".**

Eine Runde, in der jeder ein kurzes Statement darüber macht, was ihm an diesem Seminartag klar geworden ist, reicht schon aus, um sich der thematischen und emotionalen Erfolge bewusst zu werden. So ist wirklich jeder gefordert, denn klar geworden ist immer jedem irgendetwas und sei es, dass er schon alles kannte. Dies ist allerdings nicht wirklich ernst gemeint, denn bekanntlich bedeutet kennen ja nicht können, sodass immer jeder Teilnehmer Erkenntnis dazugewinnen muss, wenn er nicht Ihren Platz einnehmen könnte. Gleichzeitig decken Teilnehmer bei dieser Abschlussrunde auch weitere Bedürfnisse auf, die vorher (noch) nicht bewusst waren.

Als Trainer erfahren Sie so, was Sie am nächsten Tag noch ansprechen sollten (bei mehrtägigen Seminaren), und Sie können bei einer eintägigen Veranstaltung Ihre Planung mit dem Ergebnis vergleichen. Auch so manches Folgeseminar ist schon aus diesem kurzen Seminarabschluss entstanden.

Wie lange dauern die Phasen des Lernkreislaufes eigentlich?

Diese Frage lässt sich nicht absolut beantworten, ein Ansatzpunkt ist, die einzelnen Phasen im Verhältnis zu den anderen zu betrachten. Folgende Fragen, die zum Teil bewusst etwas provokant formuliert sind, sollen Ihnen bei Ihrer Einschätzung helfen. Vergleichen Sie einmal Ihre erste Einschätzung mit den Vorschlägen:

- Zum **Seminareinstieg**: Wie lange benötigen Sie, sich selbst, den Seminaranlass und ein wenig Organisatorisches vorzustellen?

  ⇨ *Etwa 10 Minuten ...? Eher etwas mehr als weniger ...? Aber auch keine One-Man- oder One-Woman-Show? So viel wie nötig, um Sie als kompetent einschätzen und Ihnen vertrauen zu können? Wo ist die Grenze, was ist zu wenig, was zu viel?*

- Zur **Motivationsphase** bei Seminarbeginn: Wie lange braucht es, 6 bis 12 Teilnehmer paarweise ein Gespräch über ihre bisherigen Erfahrungen zum Seminarthema führen zu lassen und anschließend sich und die Gesprächsergebnisse kurz vorzustellen?

  ⇨ *Pro TN etwa 5 Minuten, je nachdem, wie klar Sie als Moderator die Runde steuern oder bei Bedarf laufen lassen ...? Manchmal bis zu 1,5 h für alle Teilnehmer zusammen? Wenn Sie unvorbereitet in der Runde bemerken, dass der Austausch von persönlichen Erfahrungen von allen als besonders wichtig angesehen wird?*

  ⇨ *Die jeweilige Motivationsphase zu Beginn jeden Themenblocks fällt naturgemäß kürzer aus (und ist neben der Wiederholung die kürzeste).*

- Zur **Wissensvermittlung**: Wie lange würden Sie maximal jemandem zuhören können, wenn Sie selbst nichts dabei tun? Wie lange können Sie sich voll und ganz konzentrieren?

  ⇨ *15 Minuten? 20 Minuten? Wenn es sehr, sehr interessant und spannend ist 30 Minuten? Länger geht es in der Regel nicht, dann muss etwas methodisch Neues passieren, wenn ich als Zuhörer das Erste nicht vergessen soll ... Welche Erfahrung haben Sie damit? In Vorlesungen, aus Vorträgen oder Besprechungen?*

- Zur **Wiederholungsphase**: Wie lange braucht es, das zuvor Erläuterte noch einmal auf den Punkt zu bringen? Mit einer anderen Methode, einer neuen Art, zu formulieren? Nur, um es ein zweites Mal gehört und damit wirklich wahrgenommen zu haben?

  ⇨ *5 Minuten mit einem Poster? Wenige Minuten rein verbal und mit wortunterstützenden Gesten? 7 Minuten an der Pinnwand mit einem Schaubild oder Karten? Ein wenig länger, wenn noch Verständnisfragen geklärt werden müssen?*

- Zur **Vertiefungsphase**: Wie lange könnte es dauern, Menschen die Gelegenheit zu geben, gemeinsam – in spielerischer Form – das soeben Kennengelernte zu vertiefen und tatsächlich zu verstehen? Wie lange würden Sie dies maximal gestalten wollen?

  ⇨ *15 Minuten? 20 Minuten ? 30 Minuten? So lange, bis bei den Teilnehmern etwas angekommen ist, damit sie es anschließend tatsächlich umsetzen können? Es kommt wohl darauf an, ob das oberste Seminarziel eher ein affektives ist, bei dem Teilnehmer vor allem etwas wollen oder glauben sollen, oder ob es als kognitives Ziel vornehmlich um Wissen und die*

Umsetzung dessen geht. Affektive Ziele benötigen in der Regel mehr Zeit, um bei den Teilnehmern „anzukommen", wirken dann aber umso nachhaltiger (siehe Kapitel 5.3 Lernziele).

- Zur **Anwendung**: Wie lange würden Sie Ihre Teilnehmer etwas üben und dabei ausprobieren lassen wollen? Wie lange sollte dies mindestens dauern?
  ⇨ *20 Minuten? 1 Stunde? So lange, bis sie sich sicher genug fühlen? Je nach Seminarzeit auf jeden Fall länger als die Vermittlung?*

- Zur **Integration**: Wie lange benötigt eine Gruppe, einen Abschluss zu finden? Am Seminarende etwas länger?
  ⇨ *10 Minuten? 20 Minuten? 3 Minuten pro Teilnehmer? So lange, wie Sie Zeit geben? Am Ende einer thematischen Phase ein paar Minuten, sodass jeder das Thema für sich „einpacken" kann?*

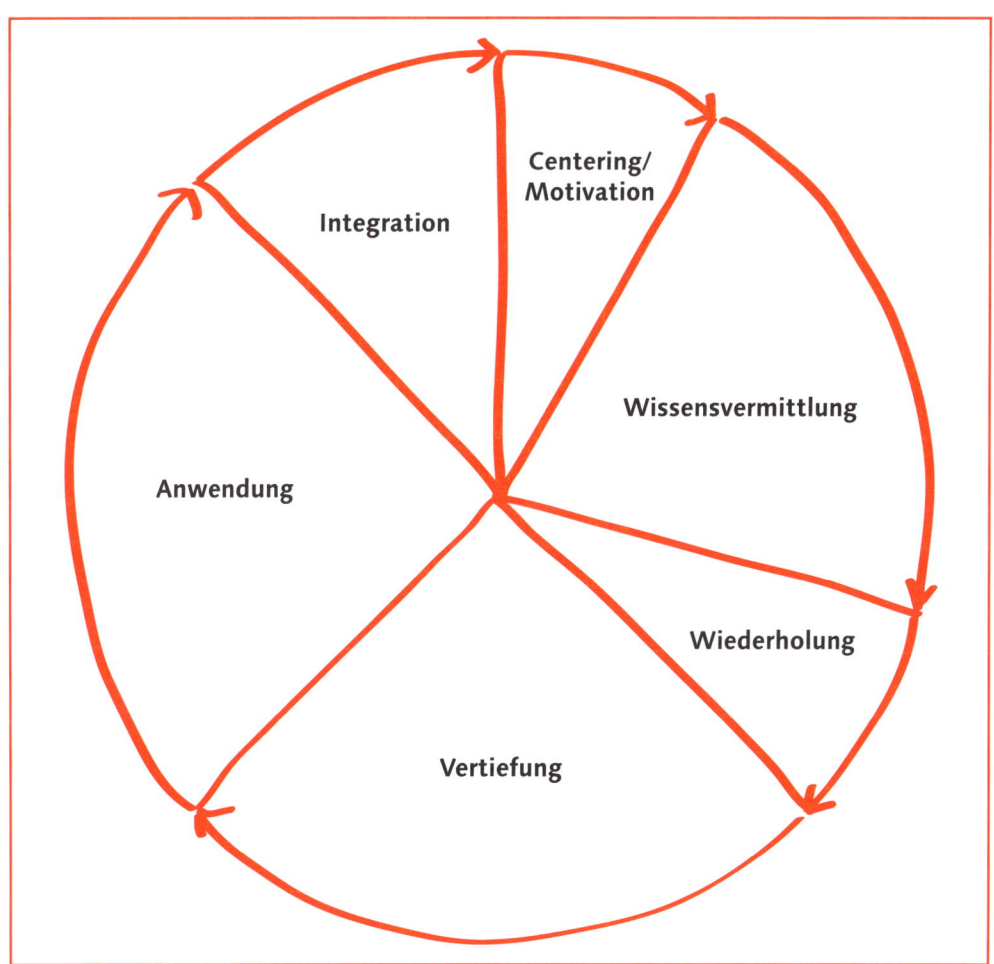

Sie merken, dass es keine exakten Aussagen geben kann. Die Zeitkalkulation hängt zum Teil mit der Gruppengröße, der tatsächlichen Seminarlänge und den Bedürfnissen der Gruppe zusammen.

Wenn die Zeit allerdings aus dem Ruder zu laufen droht, ist es wichtig, schon einmal Themen zu streichen, ggf. zu straffen oder vor der Gruppe kundzutun, dass dies der Fall ist. Gemeinsam können Sie besprechen, wie Sie damit umgehen werden und worauf im Zweifel verzichtet werden kann.

IN KEINEM FALL IST ES HILFREICH, DEN STOFF NUN IM EILTEMPO DURCHZUZIEHEN, ALSO EINFACH NUR SCHNELLER VORZUTRAGEN UND DIE ANDEREN PHASEN ZU „SCHLUDERN".

Damit überträgt sich die Hektik auf die Teilnehmer, es wird weder viel verstanden noch behalten, keiner lernt etwas und weder der Trainer noch die Teilnehmer haben insgesamt etwas davon. Ein veränderter Zeitbedarf hat immer mit aktuellem Geschehen im Seminar zu tun, dies können Sie ansprechen und die Sache klären, sodass Ihr Seminar entspannt weiterlaufen kann.

3.1.2 Exkurs: Das Konzept des Accelerated Learning – Das M-A-S-T-E-R-Modell

Für das Accelerated Learning entwickelten Malcolm J. Nicholl und Colin Rose im Jahre 2002 ein im Grundsatz dreistufiges M-A-S-T-E-R-Modell als Konzeptionshilfe für Trainings und Schulungen. Ein nach den AL-Prinzipien aufgebautes Seminar umfasst in differenzierterer Form – die Verarbeitung des Lernstoffes wird dabei ausdifferenziert – die folgenden fünf Stufen:

M		Mentales Einstimmen und Vorbereiten
A		Aufnahme der Lerninhalte
S	steht für	Suche nach Sinn und Bedeutung für den Lerner
		mit den drei Unterstufen:
T		Treibstoff für das Gedächtnis
E		Einsatz des Gelernten und
R		Reflexion über das Lernen

Sicherlich erkennen Sie hier die Phasen des Lernkreislaufes wieder und vielleicht liegen Ihnen diese Bezeichnungen aus dem AL mehr.

Letztendlich geht es nicht um die Bezeichnungen, sondern darum, dass bei einem Seminarkonzept nichts „einfach so" und willkürlich hintereinandergereiht geschieht, sondern immer auf Basis eines klaren didaktischen Konzeptes.

3.2 Gruppenkurven

Sind Sie ein Morgenmensch? Jemand, der schon um 7.00 Uhr im Büro sitzt, die ersten E-Mails abarbeitet und relativ früh die Mittagspause einläutet? Jemand, der davor sogar schon Sport getrieben hat und danach richtig wach ist? Oder kommen Sie erst am Nachmittag so recht in Fahrt und haben sogar abends noch mal eine richtige Hochphase? Es ist natürlich keine neue Erkenntnis, dass wir Menschen bezüglich unserer Leistungskraft und Konzentration unterschiedlich sind, doch in einem sind fast alle gleich: nach einem (Mittag-)Essen fällt die Leistungskurve mehr oder weniger rapide ab und der Körper ist mit Verdauung beschäftigt. Viele Menschen merken außerdem samstagmorgens die Anstrengungen der vergangenen Arbeitswoche und sind entsprechend müde. Sie haben ein größeres Bedürfnis nach Ruhe, und wenn es ihre Lebenssituation zulässt (was beispielsweise bei Eltern nicht immer der Fall ist), ist ihr Verhalten zunächst eher langsamer. Unterschiedlich hingegen sind wir auch darin, wie lange wir ruhig auf unseren „vier Buchstaben" sitzen können. Manche Menschen bevorzugen das Sitzen und halten entsprechend länger durch, andere werden schon nach wenigen Minuten „hibbelig" und hegen einen starken Drang nach Bewegung. Meist geht dies einher mit dem bevorzugten Verarbeitungskanal – hier treffen oft die Visuellen auf die Kinästheten. Unabhängig davon, wie wir morgens aus dem Bett kommen und in dieses wieder einsteigen – jeder Mensch hat wiederum das Bedürfnis nach dem Wechsel von Spannung und Entspannung, von Aktivität und Passivität.

Wenn diese Erkenntnisse zu Leistungskurven und Aktivitätsbedürfnissen also keine wirklich neuen sind, warum halte ich sie dann hier für erwähnenswert?

Die Erfahrung zeigt, dass sie tatsächlich noch viel zu wenig in die Seminarkonzeption vor allem der „technischen Trainings" einfließen bzw. dort konkret umgesetzt werden. In Softskill-Seminaren gehört es mittlerweile zum guten Ton, nach der Mittagspause eine „Aktivierung" – also eine Bewegungsübung – zu machen, die zum Ziel hat, sich nach der körperlichen Betätigung wieder der konzentrierten Wissensaufnahme zu widmen. Wie oft haben Sie schon das Gegenteil erlebt und sich als Zuhörer mühsam nach dem Mittag durch einen Vortrag gequält? Dieser kann durchaus inhaltlich interessant und lebendig vorgetragen sein – in der Regel schaffen wir es kaum, zu dieser Zeit konzentriert nichts zu tun, außer zuzuhören. Bewegungsübungen allein, die auch ich ab und an vorschlage, werden den Bedürfnissen der Teilnehmer zu diesem Zeitpunkt aus meiner Erfahrung nicht gerecht. Das große Gähnen – und damit die Unfähigkeit, konzentriert zuzuhören – ist damit leider oft nicht verschwunden und wird gerne von den Teilnehmern mit diversen Tassen Kaffee kompensiert.

Was können Trainer also dazu beitragen, den Leistungs- und Lernkurven ihrer Teilnehmer (und letztendlich auch ihrer eigenen) gerecht zu werden?

1. **Vermeiden Sie konkrete Angaben dazu, wann der Seminartag zu Ende sein wird.** Das mag komisch oder hart klingen und ich habe damit gute Erfahrungen gemacht. Natürlich haben Seminare einen offiziellen Anfang und ein offizielles Ende. Wenn der Tag zeitlich ohnehin schon knapp kalkuliert ist, werden Sie wahrscheinlich ziemlich pünktlich und genau den Seminartag beenden. Und vielleicht kennen Sie auch das Seminar mit etwas Puffer, das z.B. bis 17.00 Uhr angesetzt ist. Sie wissen genau, dass Sie in der Regel ab ca. 16.00 Uhr nicht Neues mehr geplant haben und den Rest eben als allgemeinen Puffer und für die Abschlussrunde eingeplant hatten. Wenn Sie schneller fertig sind und alle Themen besprochen wurden, freuen sich die Beteiligten. Haben Sie angekündigt, um 16.30 fertig zu sein, und es verzögert sich wider Erwarten, scharren schon um 16.15 Uhr alle mit den Füßen und die Aufmerksamkeit ist „futsch". Was ich meine, ist: Versprechen Sie vor allem bezüglich der Zeit nichts, was Sie nicht auf jeden Fall halten können, und lassen Sie sich möglichst nicht in Diskussionen am Morgen über mögliche veränderte Seminarzeiten ein. Die Aufmerksamkeitskurve der Teilnehmer fällt sonst oft sehr schnell ab.

2. **Lernaktivität nach dem Mittagessen – immer!** Ich gebe es offen zu: Ich mache nicht nach jeder Mittagspause eine Aktivierung mit den Teilnehmern, weil ich methodisch ohnehin etwas Aktivierendes eingeplant habe. Sei es, dass die Teilnehmer als Hinführung zu einem neuen Thema gegeneinander in einem Wettbewerb antreten oder dass andere Gruppenarbeiten anstehen, in denen man im Stehen oder im Gehen reden und sich in ein Thema hineinfinden kann. Im Kapitel 6 finden Sie diverse Beispiele, wie Sie den Teilnehmern ein wenig Raum zum Müdesein geben und diese dennoch produktiv lernen lassen können. Beides muss kein Widerspruch sein!

3. **Ziehen Sie nachmittags das Sprechtempo leicht an.** Sie haben als Trainer bezüglich Ihrer eigenen Kurven einen kleinen Vorteil: In der Regel gehen wir nie ganz aus der Trainerrolle und der damit verbundenen Körperspannung heraus. Damit ist nicht gemeint, dass wir komplett unter Anspannung stünden oder hibbelig seien. Nur den Zustand echter Entspannung lassen wir in der Regel erst am Ende des Seminars wieder zu (dann aber mit Sicherheit). Der Vorteil liegt in Zweierlei: Wir selbst sind insgesamt wacher, was natürlich der Trainerrolle entspricht, und wir können unseren Teilnehmern speziell am Nachmittag einen zusätzlichen Wachhalter geben – eine lebendige Art zu sprechen! Nicht, dass wir am Vormittag besonders spröde sprechen sollten. Dennoch, ich habe schon oft das Feedback bekommen, dass insbesondere diese lebendige flottere Art zu sprechen die Aufmerksamkeit gut steigern kann. Sie ist unser kleiner und feiner Beitrag, die Lernkurve der Teilnehmer nicht absacken zu lassen! Machen Sie sich bei Bedarf in einem guten Rhetorik-Training oder besser noch bei einem Sprecherzieher oder Stimmlehrer mit der Technik des lebendigen Sprechens vertraut – es lohnt sich.

4. **Passen Sie die Medien und Methoden spontan der Leistungskurve an.** Nehmen wir an, dass Sie nach der Lektüre dieses Buches ein fertiges Konzept zu Ihrem Seminarthema in Händen halten – mit den Themen in der passenden Reihenfolge, unterschiedlichen Methoden in einem realistisch geplanten Zeitgerüst. So viel zur Theorie. In der Praxis wird es so aussehen, dass Sie für eine Übung etwas mehr Zeit kalkulieren müssen, Sie aufgrund der Bedürfnisse Ihrer Teilnehmer ein Thema vorziehen und sich so Ihre Planung verschiebt. Dies ist nicht weiter dramatisch, schließlich bauen Sie mit dem didaktischen Lernkreislauf die Themen so auf, dass Sie sie wie Module tauschen können, vorausgesetzt eines ist nicht die inhaltliche Voraussetzung des anderen. Was aber dabei passieren kann, ist, dass die Themen und damit vor allem die Methoden in andere Tageszeiten fallen und ggf. nicht mehr zur Lernkurve passen. Sie sind in der Regel zu wenig aktiv, wenn z.B. Wissensvorträge in Zeiten nach dem Mittag oder in die letzten 45 Seminarminuten fallen. Hier sollten Sie flexibel Ihr geplantes Vorgehen anpassen, und sei es nur, dass alle die Wissensvermittlung durch einen Ortswechsel im Stehen erleben können.

! Tipp:

Schauen Sie sich in Ihrer Seminarumgebung immer zuvor nach solchen räumlichen Möglichkeiten um bzw. erfragen Sie diese beim Auftraggeber, Sie vermeiden damit böse Überraschungen.

Geplante Methoden können bezüglich der Tageszeit tatsächlich auch zu aktiv sein, was ich gelegentlich bei Seminaren am Wochenende erlebe. Fällt der zweite Seminartag auf einen Samstag oder Sonntag ist das Bedürfnis der Teilnehmer – unabhängig von abendlichen Feierlichkeiten – eher nach einem ruhigeren Seminareinstieg. Oft habe ich es als Teilnehmer selbst erlebt, dass mit besonderer Fröhlichkeit, lebendiger Musik und körperlicher Aktivität die Lebensgeister geweckt werden sollten, nur wollten die Lebensgeister oft noch nicht so recht, meine inklusive. Ich bin mittlerweile dazu übergegangen, den Beginn eines zweiten Seminartages am Wochenende musikalisch eher ruhiger zu begleiten, was sowohl meinem körperlichen Bedürfnis als auch dem der Teilnehmer entspricht. Zusätzlich baue ich selbst an solchen Tagesbeginnen etwas weniger Körperspannung auf und wähle einen methodischen Einstieg, der die Aktivität langsam ansteigen lässt, wie etwa das Lernkonzert oder die Vernissage (siehe Kapitel 6.2.4).

4   Auftragsklärung

Ich bin selbstständig und deshalb bekomme ich (glücklicherweise) regelmäßig telefonische Anfragen wie *„Frau Stockhausen, wir brauchen einen Trainer für Rhetorik"* oder *„... können Sie auch Moderation?"* oder *„... haben Sie noch Kapazitäten frei für drei Tage Train the Trainer?"* Das ist schön und auch immer ein wenig gefährlich! Denn gerne ist man geneigt, nur den Termin und die Inhalte zu klären und den Auftrag anzunehmen. Aus Erfahrung kann ich sagen: Sie wissen damit ganz selten wirklich genug, um das Seminar gut vorzubereiten und zur Zufriedenheit der Teilnehmer und des Auftraggebers durchzuführen!

Ein Beispiel: Wenn Sie 20 beliebige Menschen fragen, was sie unter dem Begriff „Rhetorik" verstehen, werden Sie nahezu 20 unterschiedliche Erklärungen bekommen. Auf jeden Fall werden die Schwerpunkte je nach persönlichem Bedarf unterschiedlich sein und natürlich hat es immer „irgendwas" mit Kommunikation zu tun. Oft möchten Menschen in Rhetorik-Seminaren lernen, sich besser auszudrücken, und erfahren, wie sie mit schwierigen Gesprächssituationen besser klarkommen. Schlagfertiges Reagieren spielt auch oft eine Rolle, sowie Argumentieren und Verhandeln.

Fragen Sie nun zehn Sprecherzieher nach ihrem Verständnis von Rhetorik. Sie werden mit aller Wahrscheinlichkeit eine fast übereinstimmende Definition mit lediglich zwei unterschiedlichen Schwerpunkten erhalten, denn dies ist in der Ausbildung ein klar umrissenes Feld.

Der Auftrag „Rhetorik-Seminar" ist daher extrem schwammig und wird von jedem Menschen relativ unterschiedlich gefüllt. Nur einmal bin ich in die Falle getappt, einen Auftrag eines Kollegen aus dem Vertrieb anzunehmen, ohne weiter nachzuhaken, um festzustellen, dass der Kunde Preisverhandlungen u.Ä. lernen wollte. Ich aber hatte Rederhetorik – also aus Sprecherziehersicht die freie Rede vor Publikum – vorbereitet. Die Ausschüttung meiner Stresshormone war wirklich unnötig, denn ich und auch der Kollege hätten einfach den Auftrag besser klären sollen!

Wie können Sie solche Fehler zukünftig vermeiden?

VERWENDEN SIE EIN MODELL (BZW. EINEN GESPRÄCHSLEITFADEN), DER ALLE RELEVANTEN ASPEKTE DER AUFTRAGSKLÄRUNG ENTHÄLT UND DEN SIE Z.B. AUSGEDRUCKT VOR SICH HABEN, WENN SIE MIT IHREM KUNDEN SPRECHEN.

Auftragsklärung mit dem SCORE-Modell

Das so genannte SCORE-Modell beinhaltet Fragen, die ein Gespräch (außerhalb von Smalltalk) mit einem bestimmten Fokus strukturieren. Dieser Fokus liegt vor allem auf dem Ergebnis und, wie dieses erreicht werden kann. Es ist besonders gut geeignet für die Klärung von Dienstleistungsaufträgen wie Seminaren oder die Planung von Events. Eine Vorlage dazu finden Sie auf der CD-ROM.

Der Begriff SCORE (engl. „Wert") steht dort für:

SCORE-Modell		
Symptom	Thema, Aufgabe, Symptome, Problem	Worüber reden wir?
Causes	Ursachen, Hintergrund, Ableitung	Wie kommt es dazu? Was und wie sind die Hintergründe?
Outcome	Ziele, Ergebnis	Was soll erreicht werden bzw. herauskommen?
Ressources	Lösungen und Hilfsmittel, die zur Zielerreichung dienen (Fähigkeiten, Kenntnisse, Einstellungen, Geld oder Zeit)	Welche sind schon da? Welche müssen noch erarbeitet, besorgt oder verhandelt werden?
Effect	(Wechsel-)Wirkungen und Konsequenzen, wenn das Ziel erreicht wurde.	Welche positiven und negativen Effekte hat es auf die Beteiligten, wenn das Ergebnis im besten Sinne erreicht wurde (also positiv war)?

PRAXISBEISPIEL: SEMINARAUFTRAG MODERATION

Hinweis: In der Praxis sieht es so aus, dass der Kunde zunächst das gewünschte Seminarthema nennt – dies entspricht im Modell dem ersten Schritt. Da sich meistens aber erst nach Schritt 2 das „eigentliche Thema" ergibt, beginne ich in der Regel im Gespräch mit Schritt 2, aus dem sich dann Schritt 1 ergibt. Deshalb setze ich die Reihenfolge in diesem Beispiel auch so um, behalte aber die ursprüngliche Nummerierung bei.

2. Ursachen (Causes):
Klärt die Hintergründe, die zu dieser Anfrage geführt haben. Stellen Sie die Frage:

„Wie kommt es zu diesem Auftrag / dieser Anfrage?"

Bei unserem Beispiel habe ich erfahren, dass das Unternehmen zum einen einen Seminarkatalog führt, in dem jegliche Seminarangebote mit Themen und Trainernamen, jedoch ohne Termine enthalten sind; die Termine werden nach Bedarf der Mitarbeiter ein Jahr im Voraus mit dem Trainer abgestimmt.

Jeder Mitarbeiter kennt diesen Katalog und innerhalb des jährlichen Mitarbeiter-gespräches stimmt jeder Mitarbeiter zwei Seminare pro Jahr mit seinem Vorge-setzten ab.

Zum anderen hatte das Unternehmen einen Seminaranbieter, mit dessen Metho-dik aber viele Mitarbeiter nicht mehr zufrieden waren. Diese habe ich detaillier-ter erfragt, um mir ein genaues Bild machen zu können. Es ging also nicht um einen akuten und einmaligen Bedarf für einen bestimmten Kreis von Mitarbei-tern, sondern um eine mögliche langfristige Kundenbeziehung im Umfeld der so genannten Softskill-Seminare.

1. Symptom:

Thema und genaue Problemstellung. Stellen Sie Fragen wie:

„Wer führt in Ihrem Unternehmen Moderationen durch? Wann und in welchem Rahmen führen Ihre Mitarbeiter Moderationen durch? Womit genau haben Sie Probleme im Zusammenhang mit Moderationen?"

Hier ging es um Projektleiter, die intern und beim Kunden Besprechungen leiten und als Teilnehmer erleben. Dabei würden diese immer wieder schwierige Situationen erleben. Es handelte sich also konkret um eine Anfrage zum Thema „Moderieren von Besprechungen", weniger zur klassischen Moderation von großen Gruppen über mehrere Tage, in denen Themen erarbeitet werden sollen. Dieser Schwerpunkt war mir zuvor nicht deutlich gewesen, der Kunde jedoch hatte von der „klassischen Moderation" noch nie gehört und war selbstverständ-lich davon ausgegangen, dass es nur so etwas wie Besprechungsmoderation gäbe.

3. Ziele (Outcome):

Benennt die speziellen Zielsetzungen oder erwünschten Ergebnisse, die erreicht werden sollen. Stellen Sie Fragen wie:

„Mal angenommen, das Seminar ist im besten Sinne verlaufen …
• was haben die Teilnehmer dann kennen gelernt?"
• was ist ihnen klar geworden?"
• was können sie?"
• was werden sie vermeiden?"
• welches Verhalten werden sie zeigen?"
• woran könnten die Teilnehmer selbst, der Kunde, die Vorgesetzten den Seminarerfolg erkennen?"

Diese Fragen sind mitunter ungewöhnlich und natürlich auch nicht wenig. Bereiten Sie Ihren Auftraggeber ggf. darauf vor. Machen Sie sich und ihm klar: je mehr Sie darüber wissen, um so optimaler können Sie das Seminar konzipieren, durchführen und nachbereiten. Viele Antworten können Sie auch aufgrund Ihrer Erfahrung vorformulieren und dem Kunden im Gespräch anbieten.

Dieser Schritt ist mit der wichtigste in der Auftragsklärung, mitunter weiß Ihr Kunde darauf nicht sofort zu antworten – behalten Sie Geduld und erbitten Sie ggf. einen weiteren Telefontermin oder eine schriftliche Sammlung per E-Mail. Idealerweise stellen Sie die Fragen den potenziellen Teilnehmern. Oft ist es möglich, über die Personalentwicklung mit einer Auswahl von Leuten im Vorfeld zu reden und sich so optimal auf sie einzustellen. Außerdem machen Sie so gleichzeitig deutlich, dass es sich nicht um ein „Bespaßungsseminar" handelt, in dem die Inhalte allein von Ihnen kommen, sondern dass Sie die Teilnehmer und Ihre Probleme und Wünsche ernst nehmen.

Mögliche Antworten bezogen auf das Beispiel sind:
- Die Teilnehmer kennen die Rolle und die Aufgaben eines Moderators (für Besprechungen).
- Sie haben sich ausgetauscht über ihre Erfahrungen und Befürchtungen ihrer Moderationen.
- Sie wissen um den Sinn der Vorbereitung einer Besprechungsmoderation und haben Möglichkeiten wie Checklisten kennen gelernt, die sie bei der Vorbereitung unterstützen.
- Sie wissen um den Sinn und die Einsatzmöglichkeiten analoger Medien wie Flipchart, Pinnwand und Moderationskarten und haben Techniken erprobt, diese professionell zu gestalten.
- Sie kennen unterschiedliche Moderationsmethoden, haben diese erprobt und können ihren Einsatz in der Moderation einschätzen.
- Sie kennen die kommunikativen Werkzeuge, die ihnen helfen, Besprechungen zu strukturieren, Feedback zu geben, Kritik zu üben und typische schwierige Situationen zu lösen. Diese haben sie erprobt und als Teilnehmer erlebt.

4. **Ressourcen:**
Die Elemente, die zur Zielerreichung dienen bzw. die dazu noch benötigt werden.

Erfragen Sie zunächst die Ressourcen der Teilnehmer, also
- welche Seminarthemen, die im Zusammenhang mit der Anfrage stehen, von den Teilnehmern bereits besucht wurden und wie lange dies her ist,
- mit welchem Problembewusstsein Sie rechnen müssen (Kommen die Teilnehmer freiwillig oder wurden sie angemeldet, sodass sie ggf. keinen Bedarf erkennen?),
- welche Erfahrungen die Teilnehmer mit dem Thema selbst haben.

Erfragen bzw. klären Sie natürlich die weiteren Rahmenbedingungen wie
- Tagessatz, Spesen, Mehrwertsteuerpflicht (das Thema „Honorargestaltung" ist fast ein eigenes Buch wert; die Mehrwertsteuerpflicht klärt man am besten mit einem Steuerberater, und sollte der Auftraggeber befreit sein, benötigen Sie eine Bescheinigung, damit nicht Sie die Steuer tragen müssen),

- speziell die Übernahme von Reise- und Übernachtungskosten und die Hotelbuchung,
- Bedarf bzw. Ihr Angebot zu so genannten Handouts, Seminarunterlagen und mögliche Extrakosten dafür,
- Specials zur Rechnungsstellung.

Erfragen Sie außerdem – in der Regel bei einem zweiten Telefonat, wenn der Auftrag grundsätzlich geklärt ist – die Ressourcen, die mit den konkreten Rahmenbedingungen zu tun haben, also

- welche der für Sie üblichen Medien vorhanden sind (Pinnwände, Moderationskoffer, Karten, Stifte, Flipchartständer inkl. Papier, ggf. Beamer etc.),
- die Größe und Form des Raumes,
- welche Art von Bestuhlung der geplante Raum hat bzw. welche Sie gerne hätten,
- ob der Raum Tische hat und/oder wo diese stehen sollen,
- ob Sie andere Räumlichkeiten oder ggf. den Flur für Gruppenarbeiten mit verwenden können,
- wie Sie sich an hausinternen Rechnern anmelden können (z.B. im IT-Seminar),
- wer am Seminartag Ihr Ansprechpartner sein wird,
- wie Sie in den Seminarraum kommen und wo Sie auf dem Gelände parken können,
- wo Sie etwas kopieren können,
- wo Sie eine Pausenverpflegung bekommen bzw. ob eine Kantine vorhanden ist und wie man dort bezahlt.

Weitere Ressourcen sind denkbar.

5. Wirkung (Effects):

Die (langfristigen) Konsequenzen, die aus dem Erreichen eines Ergebnisses resultieren.

Erfragen Sie, welche positiven Effekte Ihr Auftraggeber erwartet, wenn das Seminar im besten Sinne gelaufen ist, und das für die Teilnehmer, die Abteilung, das Unternehmen.

Erfragen Sie aber auch die negativen Effekte und gehen Sie davon aus, dass es letztere immer gibt! Ziel ist es, diese von Beginn an zu kennen und schon vor der Durchführung der Seminare die passenden Gegenmaßnahmen einzuplanen.

Wie könnten also die positiven Effekte in unserem Beispiel aussehen?

- Die Projektleiter fühlen und verhalten sich sicher in ihren Moderationen – insbesondere beim Kunden.
- Sie wirken dadurch souverän und professionell auf Kunden und interne Kollegen und Vorgesetzte.
- Sie werden gerne vom Kunden eingesetzt.
- Sie qualifizieren sich für eine höhere Position im Unternehmen.
- Die Moderation wird ein Aushängeschild für das Unternehmen, mit dem man zukünftig werben kann.

- Die Bindung zum Kunden wird gestärkt.
- Dies hat weitere Aufträge zur Folge und das Image der Unternehmens steigt.
- Das Unternehmen sichert seine Position am Markt.

Mögliche negative Effekte, wenn die Veranstaltung gut (!) gelaufen ist:
- Nicht jeder kommt als Moderator gleich gut an, es entsteht Konkurrenz unter den Kollegen.
- Die gute Moderation spricht sich im Unternehmen rum, es entsteht Neid, der durch Lästern über die „komischen Methoden" etc. abgebaut wird.
- Von jedem Mitarbeiter/Projektleiter wird verlangt, dass er gut moderieren kann – es wird selbstverständlich.
- Gute Moderatoren und „Kommunikatoren" werden abgeworben oder verlassen von sich aus das Unternehmen.

Noch mal: Wichtig bei der letzten Überlegung ist, dass es immer auch negative Effekte gibt, wenn etwas gut gelaufen ist. Die Sache wirkt sich systemisch auf andere Dinge und Menschen aus, unabhängig davon, ob sie gut oder schlecht bewertet werden. Diese negativen Aspekte zuvor zu bedenken, einzukalkulieren und schon im Vorfeld zu überlegen, wie man ihnen entgegenwirken kann, ist eine der großen Stärken dieses Vorbereitungsmodells!

Mit diesen – anhand des Praxisbeispiels ausführlich dargestellten – fünf Schritten sind Sie optimal auf die Konzeption Ihres Seminars vorbereitet, die Thema des nun folgenden Kapitels sein wird.

5 Seminarkonzeption

Wiederholen wir kurz, was Ihnen die vorgehenden vier Kapitel für bemerkenswerte Seminare vermittelt haben:
- die Grundlagen des Aktivierenden Lernens und der Gehirnforschung,
- einen didaktischen Lernkreislauf,
- Hinweise zur Rhythmisierung von Lernsituationen und
- ein Modell zur Auftragsklärung.

Nun geht es an einen oft unterschätzten Aspekt in der Vorbereitung, nämlich wie Sie all die erwähnten Grundsätze und Tipps tatsächlich umsetzen. Diese Frage bekomme ich immer spätestens am Ende des ersten Seminartages gestellt und sie zeigt mir, dass vielen Seminarteilnehmern zwei Dinge noch nicht klar sind:

1. Es besteht ein Unterschied zwischen einer Themenliste und einem so genannten „Seminarkonzept".

2. Es ist aus diversen Gründen wichtig und aus meiner Erfahrung unabdingbar, dass Sie ein Seminar vor der ersten Durchführung **schriftlich fixiert** haben. Auch und besonders, wenn dies zehn Seiten und mehr ausmacht. Warum? Das klären wir im Zuge des nächsten Abschnitts.

5.1 Themenübersicht versus Seminarkonzept

Den entscheidenden Unterschied wollen wir anhand eines Beispiels klären.

BEISPIEL:

Stellen Sie sich vor, Sie sind für das Training in einem Unternehmen zuständig und bekommen von der Personalentwicklung den Auftrag, die neue hausinterne Vertriebssoftware zu schulen. 75 Mitarbeiterinnen und Mitarbeiter sollen in zwei Monaten fähig sein, die Software in ihrem Arbeitsprozess (möglichst) fehlerfrei einzusetzen. Sie kennen Ihre Kollegen aus dem Vertrieb – kommunikativ, lebendig, mit den neusten Mobilfunkgeräten und Laptops ausgestattet und gewohnt, diese auch zu verwenden. Und sie sind entweder immer auf dem Sprung oder auf langen Autofahrten in der Republik unterwegs.

Längst ist Ihnen klar, dass Sie sie nicht einen Tag lang mit Frontalunterricht bzw. einem Folienvortrag neugierig, ansatzweise ruhig und konzentriert halten können. O.K., eine sinnvolle Reihenfolge der Themen haben Sie dank guter Klärung des Seminarauftrages schon relativ klar vor Augen, aber wie genau bringen Sie ihnen die Themen näher?

Vor allem:

- Wie schaffen Sie es, diese Menschen während des Seminars im „Griff" zu haben und zu gewährleisten, dass sie die Software anschließend souverän bedienen können?
- Wie sorgen Sie außerdem dafür, dass Sie während des Seminars den Überblick behalten, den roten Faden nicht verlieren und sich in Ruhe auf die Teilnehmer, ihre Fragen und Persönlichkeiten einstellen können?

Merken Sie es? Das schütteln Sie nicht einfach intuitiv aus dem Ärmel. Sie können sich auch nicht allein auf die Themenabfolge verlassen. Stattdessen sollten Sie alles, was Sie tun wollen, zuvor schriftlich festhalten. Dieses schriftliche Konzept nehmen Sie mit ins Seminar.

Damit schlagen Sie mehrere Fliegen mit einer Klappe:

- Sie entlasten Ihr Gehirn, das die vielen neuen Aspekte rund um die Themen und Methoden noch gar nicht verinnerlicht hat.
- Sie setzen sich im Vorfeld intensiv mit Themen, Medien und Methoden auseinander und überlassen den Erfolg des Seminars nicht dem Zufall.
- Sie können schon während des Seminars und im Anschluss genau kontrollieren und nachvollziehen, ob das, was Sie geplant hatten, auch tatsächlich so stattgefunden hat, und Ihr Konzept entsprechend anpassen. Dies geschieht – am Rande erwähnt – immer und wäre ohne schriftliche Vorarbeit nahezu unmöglich!
- Sie können des Weiteren das fertige Konzept als Basis für eigene weitere Konzepte verwenden. Dies erspart ernorm Zeit, denn Sie werden merken, dass Sie das Rad nicht immer wieder neu erfinden müssen. Wenn Sie z.B. wie ich während meiner Zeit als angestellte Trainerin auch andere Trainerkollegen ins Boot holen sollen, erspart das fertige Konzept langwierige Gespräche und doppelte Arbeit, weil quasi alles, was man benötigt, schon schriftlich vorliegt.
- Sie erhalten insgesamt die Sicherheit, die Sie insbesondere bei einem neuen Thema benötigen, um für Ihre Teilnehmer als souveräner Ansprechpartner zu wirken.
- Sie werden Ihrer Trainerrolle im Unternehmen oder als freiberuflicher Trainer gerecht und sichern Ihren beruflichen Erfolg.

Denn wenn Trainer sich in der heutigen Zeit ein Feedback keinesfalls leisten können, ist dies sicherlich: „Der Trainer wirkte unvorbereitet und ohne Struktur." Dies verhindern Sie, indem Sie sich konkret mit den folgenden Faktoren befassen und Ihre Ergebnisse festhalten.

FIXIEREN SIE SCHRIFTLICH: SEMINARTHEMEN, LERNZIELE, METHODEN BZW. ÜBUNGSGESTALTUNG, MEDIEN UND SPEZIELLE HINWEISE.

Diese Aspekte gehören zu einem vollständigen Seminarkonzept – es enthält also weitaus mehr als nur die Reihenfolge der Themen. Häufig werden Sie von Auftraggebern um ein Seminarkonzept zu einer Seminaranfrage gebeten. Damit ist immer (nur) die Themenliste gemeint, die die Kunden im Vorfeld haben möchten.

! Tipp:

Geben Sie grundsätzlich niemals unentgeltlich ein (vollständiges) Konzept weiter. Die einzige Ausnahme ist, wenn Sie in Festanstellung einem Trainerkollegen ein von Ihnen konzipiertes Seminar näherbringen sollen bzw. wollen.

Denn aus meiner Sicht steckt im Konzept die meiste Arbeit für uns Trainer und man tut gut daran, diese zu schützen bzw. sich bezahlen zu lassen!

5.2 Seminarthemen – worum geht es überhaupt?

Beginnen wir mit den Informationen, die Sie vor allem aus dem Gespräch mit dem Kunden in der Phase der Auftragsklärung erfahren haben:

- Was bzw. welche Themen wollen Sie vermitteln und warum?
- Was sollen die Teilnehmer kennen lernen?
- Wer hat die Inhalte festgelegt und welchen Spielraum gibt es dabei?
- Welche Themeninhalte sind wichtig und notwendig, speziell für diese Zielgruppe?
- In welcher Abfolge wollen Sie die Themen vermitteln, wie wäre eine sinnvolle Reihenfolge?
- Wie teilen Sie das Thema auf, sodass Sie es in den Phasen des Lernkreislaufes vermitteln können?
- Wie viele Tage benötigen Sie dafür bzw. wie viele Tage oder gar Stunden haben Sie als Vorgabe zur Verfügung?

5.3 Wohin laufen Sie denn? – Lernziele fixieren

„Wer nicht weiß, wo er hin will, darf sich nicht wundern, wenn er woanders ankommt."

Diese oft zitierte Zeile von Mark Twain verdeutlicht recht gut, woran es so manchem Seminar mangelt – an Klarheit darüber, welchen Zweck es erfüllen soll und welchen guten Grund Menschen haben, daran teilzunehmen.

Die Informationen dazu haben Sie im besten Fall wiederum in der Auftragsklärung vom Kunden erhalten (siehe die Hintergründe = Causes in Schritt 2 des SCORE-Modells).

Im Thema Ziele steckt aus meiner Erfahrung zweierlei:

1. Zum einen kann der Besuch eines Seminars mit **übergeordneten Zielen** verbunden sein, die nicht direkt mit dem Thema zu tun haben müssen.
2. Das Seminarkonzept sollte aber vor allem diverse konkrete Ziele enthalten, die eng mit dem Thema im Zusammenhang stehen.

Betrachten wir zunächst Punkt 1 – die übergeordneten Ziele. Solche können sein:

- Man möchte „einfach mal raus" aus dem beruflichen Alltag.
- Oft „müssen" in vielen Unternehmen Mitarbeiter einmal im Jahr als Ergebnis eines Mitarbeitergespräches mindestens ein Seminar besuchen.
- Man will Kollegen und ggf. „Leidensgenossen" kennen lernen und dabei bemerken, dass man nicht der Einzige ist, der sich Rat und Tipps zu einem Thema holt.
- Das Seminar ist eine so genannte Incentiveveranstaltung, d.h., der Seminarbesuch ist eine „Belohnung" für gute Arbeit oder erreichte Ziele etc.

Diese über dem eigentlichen Thema liegenden Ziele sind genauso wichtig wie die konkreten, da sie eng mit der Motivation der Teilnehmer in Zusammenhang stehen. Incentiveveranstaltungen mit Rahmenprogramm (großes Kaffeebuffet am Nachmittag mitten im Seminar, gemeinsamer Abend mit Unterhaltungsprogramm und jeder Menge Alkohol, Outdoor-Events), wie ich sie erlebt habe, sollten z.B. einen größeren Unterhaltungswert haben, zielen weniger auf Problemlösung ab, werden bezüglich der Zeiten nicht zu streng gehandhabt und sollten in das Rahmenprogramm der Veranstaltung eingebettet sein. Ausnahmen bestätigen wie immer die Regel. Sie sollten einfach auf das eingehen, was Sie am Seminartag dann an Bedingungen vorfinden.

Wer „einfach mal raus will" aus dem Arbeitstrott oder ohne konkreten Bedarf ein Seminar besucht, wird in der Regel zu Beginn skeptischer sein oder zunächst weniger auf die Lösung eines konkreten Problems brennen. Er könnte auch während des gesamten Seminars etwas weniger engagiert wirken. Erinnern Sie sich einmal daran, wie es war, als Sie bei einer Weiterbildung endlich die Antwort auf Ihre Frage bekommen hatten. Die Sache kann noch so klein gewesen sein, wie beispielsweise eine Tastenkombination oder ein kleiner Kommunikationstipp, das Seminar hat sich gelohnt. Sie sind in der Regel guter Stimmung und dem restlichen Thema gegenüber aufgeschlossen eingestellt. Ohne Fragen und Probleme tritt dieser Effekt einfach seltener ein.

Dies bedeutet im Gegenzug nicht, dass sie als Trainer den „Motivator" spielen müssen. Sondern es hilft einfach, diese Infos im Hinterkopf zu haben, solange Sie offen und aufmerksam sind, wie sich die Teilnehmer verhalten. Mit dem Vorwissen wird bestimmtes Verhalten erklärbar und Sie können gelassen damit umgehen.

Kommen wir zu Punkt 2, nämlich den thematisch bezogenen Zielen. Diese Ziele werden immer im Vorfeld im Kundengespräch geklärt! Wie genau legen Sie nun diese Ziele fest? Erinnern Sie sich an die Ziele aus dem Kapitel 4 im SCORE-Modell-Fallbeispiel? Typische Formulierungen lauteten:

- „... die Teilnehmer **kennen** xy,
- sie **wissen** um yz,
- sie **können** xy,
- sie **haben erprobt** yz ..."

In der Literatur finden Sie unterschiedliche Bezeichnungen für diese Art von Zielen. Oft verwendet werden die **„Bloom'schen Dimensionen des Lernens"** und deren Unterteilung in insgesamt sechs Taxonomiestufen. Benjamin S. Bloom entwickelte diese im Jahre 1956 mit dem Ziel, *„ein Spezifikationssystem zu schaffen, mit dessen Hilfe es möglich ist Ausbildungsziele wohlüberlegt zu planen, um so die effiziente Entwicklung von tatsächlichem Wissen/Können anstelle von reinem simplen Transfer von Fakten zum Zweck der ,gedankenlosen' Wiedergabe zu fördern"* [zitiert nach http://itmkb.campus02.at/index.php/Taxonomie_des_Lernens_(nach_Bloom)]

Bloom unterteilt das Lernen in die folgenden drei Dimensionen:
- kognitive (,intellektuelle Fähigkeiten'),
- affektive (,emotionale Ebene'),
- psychomotorische (,handwerkliches Geschick').

Es geht also zusammengefasst beim Lernen darum,

- etwas kennen zu lernen, zu verstehen und mit dem eigenen Wissen in Beziehung zu bringen (kognitiv),
- etwas Neues zu glauben oder anzunehmen, also seine Haltung oder sein Wertesystem zu verändern oder anzupassen (affektiv) und
- praktisch-handwerkliche Fertigkeiten zu erlernen (psychomotorisch).

Nicht immer sind in einem Seminar alle drei Dimensionen betroffen, zumindest nicht vordergründig. Ich könnte mir z.B. vorstellen, dass ein IT-Trainer, der ein spezielles Computerprogramm schult, sich fragt, an welcher Stelle er es mit affektiven Lernzielen zu tun haben könnte. Das ist eine keinesfalls unberechtigte Überlegung, deren Klärung aber tiefer gehend mit dem „Wie" des Lernens zu tun hat und noch einem Moment zurückgestellt wird.

Zuvor will ich erst noch etwas anderes ansprechen. Vielleicht geht es Ihnen nämlich wie mir, wenn Sie das jetzt lesen: Ich habe mir anfangs auch die Frage gestellt, wie ich mit der umrissenen Unterteilung des Lernens ein Seminarkonzept praktisch umsetzen kann. Auf die Gefahr hin, nun unwissenschaftlich vorzugehen (und das tue ich an dieser Stelle ganz bewusst, da dies ein Praxisleitfaden ist), habe ich für mich aus dem Modell der Bloom'schen Taxonomie die folgenden fünf Erkenntnisse gewonnen:

Erkenntnis 1: Es ist wichtig, die Zielerreichung sicherzustellen
Um zu gewährleisten, dass das, was Sie und Ihr(e) Kunde(n) mit einem Seminar erreichen wollen, auch tatsächlich eintreffen kann, ist es wichtig, vor dem Seminar konkrete Ziele festzulegen. Legen Sie neben dem **Was** also auch das **Wozu** fest, um das Ergebnis nicht dem Zufall zu überlassen.

Erkenntnis 2: Erst die Ziele, dann das Setting

Erst wenn Sie diese Ziele fixiert haben, können Sie planen, auf welche Art und Weise, also mit welchem Setting, mit welcher Methode und mit welchem Material Sie etwas vermitteln. Stellen Sie sich diese Fragen nicht, halten Sie kein Seminar, sondern einen Vortrag. Das ist o.k., wenn ein Vortrag eingekauft wurde, sonst jedoch nicht.

Erkenntnis 3: Oft ist die praktische Anwendung stark gefragt

Vielfach steht neben der Vermittlung von Wissen vor allem dessen praktische Anwendung (je nach Thema auch in **psychomotorischer Form**) im Vordergrund. Dem müssen Sie gerecht werden, Sie können damit die Teilnehmer nicht nach dem Seminar alleinlassen.

BEISPIEL „DETAIL IM IT-SEMINAR"

Aus Erfahrung weiß ich, dass es sicherlich hilfreich ist, in PowerPoint die so genannten „Verbindungen" zu kennen, wenn man z.B. zwei Rechtecke mit einem Pfeil professionell aussehend verbinden möchte. Allein die Kenntnis hilft einem Teil der Teilnehmer nicht weiter, weil sie es motorisch nicht umsetzen können, diese zügig auf der Folie angemessen zu positionieren. Erst durch die Tipps zur „Handführung" fühlen sie sich motiviert, das Zeichnungselement auch tatsächlich einzusetzen. Zuvor erzeugte Fehlversuche der immer gleichen Art bewirken bei einigen Erwachsenen schnell Frustration und Ablehnung der hilfreichen Technik. Bauen Sie diese Kenntnis also sofort mit ein, indem Sie neben dem Wissen vor allem dessen praktische Umsetzung mitliefern.

BEISPIEL „MEDIENVARIATION BEI DER MODERATION"

Desgleichen überzeuge ich Teilnehmer durch viele kleine Tipps und anschließende Übungsphase, persönlich gestaltete Flipcharts in ihren Moderationen einzusetzen, wo zuvor nur PowerPoint das vorherrschende Medium war. Allein die Sicherheit, das Medium Papier/Flipchart nun motorisch zu beherrschen (in Form von souverän wirkender Schrift, Überschriften und Aufzählungen), reicht aus, sich vom Vertrauten in ein neues Terrain begeben zu können und zu wollen. Dadurch können Teilnehmer das Medium Poster als sinnvoll und hilfreich für Trainer und Teilnehmer in Seminaren und Moderationen annehmen.

Erkenntnis 4: Kein Seminar kommt ohne die affektive Dimension aus

Denn hier ist es das Ziel, die Teilnehmer von einer **neuen inneren Haltung** zu einer Sache zu überzeugen. Sie sollen also im Idealfall etwas Neues annehmen, akzeptieren, glauben und damit ihr Wertesystem anpassen.

Ein sehr passendes Beispiel ist das Thema des vorliegenden Buches. Stellen Sie sich vor, ein so genanntes Train-the-Trainer-Seminar zu halten, und zwar mit Teilnehmern, die bereits seit einiger Zeit anderen etwas vermitteln, in der Regel als Dozenten im Frontalunterricht. Ich weiß nicht, was Ihnen als wichtigstes Ziel in den Sinn kommt, aber für mich liegt es auf der Hand, dass ich die Teilnehmer **vor allem** davon überzeugen möchte, die Grundhaltung zum Lernen und Lehren weg vom Frontaldozieren hin zum teilnehmerorientierten Training zu verändern. Ansonsten werde ich sie mit den Seminarinhalten bespaßen, ohne selbst Spaß zu haben, noch weniger Spaß haben die Teilnehmer selbst! Mit anderen Worten – sie müssen es selber wollen und den Sinn und Nutzen erkennen, diese Art des Lehrens auch konsequent umzusetzen. Mit all seinen Konsequenzen wie z.B. Mehrarbeit, die alten Zöpfe abzuschneiden, neues Material zu erstellen und ggf. Konzepte auf den Kopf zu stellen.

FOLGLICH IST ES OFT DAS OBERSTE ZIEL VIELER VERANSTALTUNGEN, MENSCHEN AUS IHREN ALTEN GEWOHNHEITEN HIN ZU NEUEN VERHALTENSWEISEN ZU BEGLEITEN!

Dies gilt insbesondere, wenn Teilnehmer zwar thematisch betroffen, jedoch die Not oder der Leidensdruck nicht so groß sind, dass sie bereitwillig etwas verändern wollen.

Wer beispielsweise große Listen auswerten muss, wird sich freiwillig die Techniken aneignen wollen, die ihm dies komfortabel ermöglichen. Insbesondere wenn seine eigenen Versuche, dies zu tun, viel Zeit und Nerven gekostet haben. Wer jedoch bisher auch „so klargekommen ist" und keine wahrhaft negativen Erfahrungen gemacht hat – wie beispielsweise als Dozent nur mit Folien zu arbeiten –, wird sich nicht so schnell neuen Methoden öffnen. Ich spreche hier aus Erfahrung und möchte natürlich nicht alle Teilnehmer über einen Kamm scheren.

ES KOMMT DARAUF AN, DASS EIN SEMINAR ANDERS VERLÄUFT (UND ANDERS BEWERTET WIRD), WENN SIE ES SO KONZIPIEREN, DASS TEILNEHMER NEUE GRUNDHALTUNGEN ENTWICKELN KÖNNEN, ALS WENN SIE DIES NICHT TUN. UND ZWAR VOR ALLEM FÜR SIE ALS TRAINER!

Ich habe Kolleginnen und Kollegen kennen gelernt, die denken, dass sie dies nichts anginge, schließlich seien sie ja nicht für die Umsetzung, sondern nur für die Vermittlung verantwortlich. In die Position der Teilnehmer versetzt denke ich mir: Ob ich mir aufgeschlossen und gerne etwas Neues aneigne und etwas Positives zu einer guten Gruppenatmosphäre beitrage, hängt eng damit zusammen, inwiefern ich glaube, dass das, was ich da mit anderen tue, auch „gut" ist. Bin ich davon überzeugt, wird nicht mehr der Großteil des Seminars damit verbracht, die „*Ja, aber*", also die Bedenken der Teilnehmer, auszuräumen, sondern es kann zügig am Thema gearbeitet werden.

Ich habe vor kurzem am eignen Leib erlebt, wie viel Zeit und Energie man aufwenden muss, jemanden (in diesem Fall mich) zu überzeugen oder zumindest bei der Stange zu halten, die natürlich viel besser für die eigentliche Arbeit hätten genutzt werden können.

Dies ist keine Kritik an den Bedenken selbst, diese werden immer auftreten und sind wichtig, um Dinge infrage zu stellen und sie zu verändern. Ich möchte Ihnen aufzeigen, wie wichtig es ist, schon in der Planung darauf zu achten, ob es hauptsächlich darum geht, dass Ihre Teilnehmer von etwas überzeugt sein sollen. Dann ist dies Ihre erste Aufgabe – der Rest sollte dem folgen ...

Erkenntnis 5: Wissen und Anwenden unterscheiden

Bezogen auf die Taxonomierung der drei Dimensionen ist es außerdem wichtig zu unterscheiden, ob Teilnehmer etwas nur

- selber **wissen**,
- es anderen mit eignen Worten **wiedergeben** oder
- es in einem konkreten Fall auch **anwenden** können sollen, indem sie es mit Bekanntem verknüpfen, abwandeln oder gar andere darin beurteilen können.

BEISPIELE:

a) Manche Seminare dienen allein als Prüfungsvorbereitung und das Wissen soll am Ende nur abrufbar sein. Vielleicht finden Sie solche Seminare ernüchternd, aber die Teilnehmer wollen zum Beispiel einfach einen Multiple-Choice-Test bestehen. Sie werden große Teile des Gelernten später nicht mehr wissen müssen, geschweige denn zukünftig anwenden.

Es geht in erster Linie um abrufbares Wissen und darum, das Richtige vom Falschen unterscheiden zu können.

Das Motiv für die Prüfung kann in diesem Zusammenhang sein, einen weiteren Abschluss zu haben. Oder die Prüfung ist Voraussetzung, damit ein Unternehmen eine Zertifizierung vornehmen kann, die ihm wiederum zu Marketingzwecken dient.

b) Angehende Trainer in einer Weiterbildung hingegen tun gut daran, die Prinzipien hinter einer Sache, wie z.B. einer Vertiefungsmethode, verstanden zu haben, um diese auf ihre eigenen Seminarthemen übertragen und damit anwenden zu können. Hängt man hier zu sehr an der ursprünglichen Methode, hapert es an der Umsetzung.

c) Manchmal muss nur der Teilnehmer selbst etwas können, es aber selbst nicht anderen näherbringen.

Ich selbst kann singen und hatte auch einige Jahre Unterricht. Das allein befähigt mich aber nicht, anderen das Singen beizubringen, dies war damals auch nicht Ziel der Gesangstunden.

Hinweis:
Auch wenn die Bloom'sche Lernzieltaxonomie – wie eigentlich alle Modelle – nicht unumstritten ist, halte ich sie für sehr praxistauglich, da sie das Prinzip der Lernziele und vor allem den Sinn von Lernzielen nachvollziehbar erklärt.

5.4 „Bitte einen Stuhlkreis …" – Raumsettings gezielt einsetzen

Neben der Anordnung der Stühle ist vor allem die Frage „Mit oder ohne Tisch?" zu klären. Die Antwort hängt vom Seminarschwerpunkt ab. In IT-Seminaren könnten Tische beispielsweise für die Computer benötigt werden, in anderen Seminaren möglicherweise als Schreibgelegenheit. „Tischlose" Seminare führen immer noch zu Irritationen, doch der Sinn liegt auf der Hand und ich werde unten näher darauf eingehen. Exemplarisch behandelt dieser Abschnitt IT-Seminare und Seminare zu so genannten Softskills.

Raumsettings in IT-Seminaren

In allen IT-Seminaren sitzen die Teilnehmer an Tischen, sofern auch sie etwas am Rechner machen sollen. Die meisten Kunden haben die Räume im so genannten Frontalunterricht gestellt – was selten veränderbar ist. Das heißt, die Teilnehmer sitzen in Reihen dem Trainer gegenüber, hinter ihm hängt eine Leinwand, um sein Monitorbild für alle sichtbar machen zu können. Mal sitzen die Teilnehmer in geraden Reihen wie in der Schule, mal im Bogen, mal im Rechteck – jedoch schauen sie über die Monitore hinweg oder seitlich daran vorbei auf den Trainer und das Bild dahinter. Ist dies der Fall, machen Sie das Beste daraus.

SORGEN SIE IN IHREM METHODENMIX SO OFT WIE MÖGLICH DAFÜR, DASS ALLE AUS DEN REIHEN HERVORKOMMEN UND ETWAS GEMEINSAM ENTWICKELN UND VERSTEHEN KÖNNEN.

Suchen Sie sich die passenden Methoden aus dem Kapitel 6.2 heraus wie Memory, Info-Piazza oder das Legen von Karten für Tastenkombinationen etc. Wichtig ist nur, dass Sie einen geeigneten Platz finden, wie von der Tastatur befreite Tische, einen Pausenraum oder im Zweifel den Boden eines Raumes. Es geht immer – die Frage ist nur wie und wo. Ich habe dies auch schon mit Kaffee- oder Mittagspausen verbunden und eine Methode in der Kantine durchgeführt. Der Fantasie sind keine Grenzen gesetzt! Die Teilnehmer wissen die Abwechslung, die Methode und den Ortswechsel inklusive der körperlichen Aktivierung sehr zu schätzen. Noch nie habe ich negatives Feedback bekommen, dass Teilnehmer einmal NICHT sieben Stunden sitzen durften!

Der ideale IT–Raum, der die Phasen des Lernkreislaufes optimal umsetzen kann, ist jedoch eher ungewöhnlich gestellt: Die Tische stehen alle an der Wand bzw. vor den Fenstern und die Teilnehmer sitzen davor, mit Blick zu Wand/Fenster und drehen dem Trainer den Rücken zu. Der Trainer sitzt seitlich und ermöglicht einen freien Blick auf sich, das Beamerbild und den Flipchartständer:

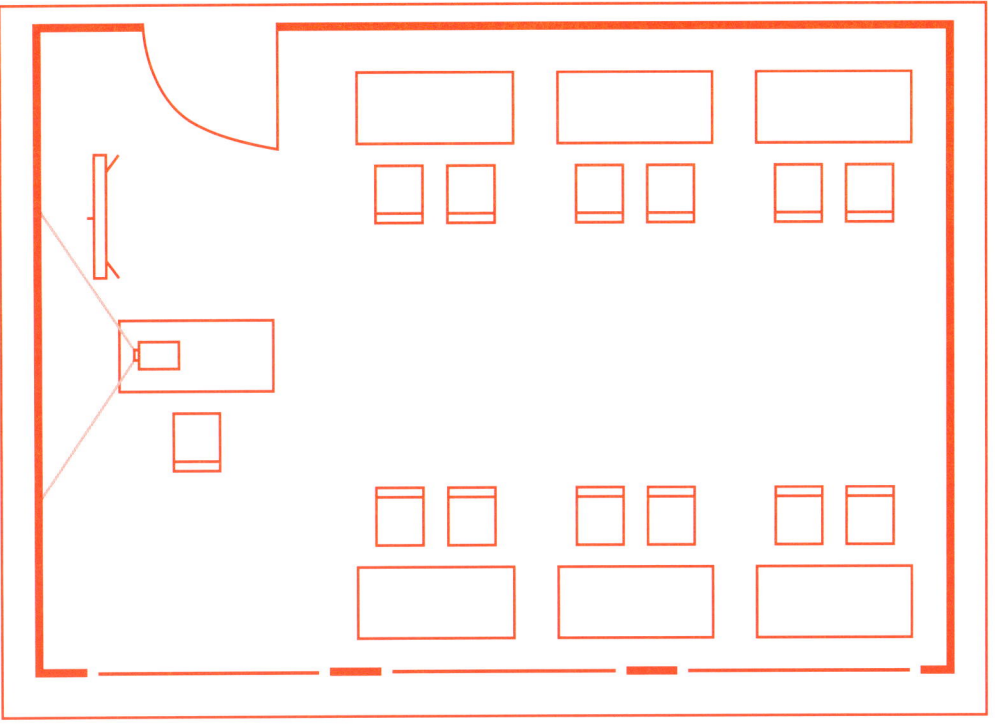

Dies hat viererlei zur Folge:

1. Die Teilnehmer schauen nach vorne zu Ihnen, dem Beamerbild und dem Flipchart in der Phase der Wissensvermittlung. Sie schauen also nicht auf ihren Monitor, sind nicht angeregt, sofort mitzumachen, und haben ein optimales Blickfeld auf das, was sie erklärt und gezeigt bekommen. Sie können sich also körperlich und geistig auf diese Phase einlassen.

2. Der Raum in der Mitte bleibt frei, um dort Pausenaktivierungen, Lernspiele wie Memory o.Ä. in der Vertiefungsphase durchzuführen. Die Frage, wo Sie dies machen könnten, stellt sich erst gar nicht, der Platz ist einfach vorhanden.

3. Die Teilnehmer können sich währen der Übungsphase ganz auf ihren Monitor konzentrieren, sich jederzeit an den aufgehängten Postern im Raum an der Wand orientieren und sich mit ihrem Nachbarn austauschen. Möchten sie dies mit jemandem tun, der nicht direkt neben ihnen sitzt, „rollen" sie sich einfach mit dem Stuhl zu diesem herüber und kommen so schnell und ohne konkrete Aufforderung vom Trainer in Kontakt. Auch die Methode „Einer erklärt dem anderen etwas" ist so organisatorisch leichter zu lösen.

4. Sie können als Trainer von Ihrem Platz aus die Bildschirme und Aktivitäten im Blick behalten, ohne besonders dabei aufzufallen. Sie müssen nicht durch enge Reihen gehen (und stoßen sich nebenbei auch nicht andauernd die Knie oder Beine). Sie müssen Teilnehmer nicht warten lassen etc., denn im Zweifel bitten Sie gleich mehrere Teilnehmer sich einmal zu einem Rechner-Platz zu begeben, falls Sie dort etwas besonders zeigen wollen. Sie sind damit nicht nur an den Platz vorne gebunden, können sich einbringen und locker neben einem Teilnehmer sitzen oder hocken, um bei Bedarf zu unterstützen.

Raumsettings in Softskill-Seminaren
Hier scheiden sich bei der Frage des Raumsettings die Geister Erfahrungen, oder die Gewohnheit. Üblich sind:
- Tische in der so genannten U-Form oder
- Konferenzsituationen, in denen in der Mitte ein großer Tisch steht (ggf. aus mehreren Tischen zusammengestellt) und die Stühle stehen darum, oder
- ein reiner Stuhlkreis mit ein Paar Tischen an der Wand oder gar keine Tische im Raum.

Ich würde immer von den Methoden und Zielen ausgehend entscheiden, welches Setting angemessen ist, und nie einfach das nehmen, was ich automatisch vorfinde.

DIES BEDEUTET, DASS SIE IN DER AUFTRAGSKLÄRUNG DAS SETTING DES GEPLANTEN RAUMES ERFRAGEN BZW. IHRE WÜNSCHE KONKRET ANGEBEN.

Es erspart eine Menge Mühe und Schweiß am Morgen des Seminars!

Ich entscheide mich in der Regel aus folgenden Gründen für einen Stuhlkreis:
- Tische als nonverbale Botschaft wirken wie Schutz und Barriere zugleich. In einem Seminar sollte man Gelegenheit haben, sich näherzukommen, um miteinander vertrauensvoll arbeiten zu können. Schutz und Barrieren sind da eher kontraproduktiv, zumal man durch das Nebeneinandersitzen keinen dauerhaften Blickkontakt zur nah sitzenden Person hat – eine gewisse Distanz ist also dennoch möglich.
- Im Stuhlkreis können alle schnell in Bewegung und miteinander in Kontakt kommen, beispielsweise in Gruppen- und Partnerarbeiten, mit einer Piazza, einer Bewegungsübung etc. Wer ganzheitliche Methoden einsetzt, wird den Stuhlkreis zu schätzen wissen.
- Der Stuhlkreis signalisiert: *„Hier wird nicht nur geschrieben und vor allem nicht konsumiert, sondern selbst gearbeitet."* Sicher, das gefällt nicht jedem (sofort). In etwa jedem dritten Seminar kommt es vor, dass ein Teilnehmer den Raum betritt mit dem Kommentar *„Oh, Stuhlkreis"* oder *„Oh Gott, keine Tische"* oder *„Ach, Kindergarten"*. Tische werden vermeintlich mit Erwachsensein und thematisch Arbeiten verbunden, Stuhlkreise als „Klatsch-Spiel-Settings" gesehen.

Ich nehme die Kommentare wahr und gehe nicht darauf ein. Die Teilnehmer wissen weder, was Sie methodisch vorhaben, noch können sie ihre eigene Unsicherheit oder Irritation über Neues anders kundtun. Sie haben ggf. nicht damit gerechnet, tatsächlich beteiligt und aktiv zu sein – viele Seminare sind immer noch „Berieselungen von vorne". Sie werden andere Kunden treffen, die diese Art gewohnt sind und sie deshalb nicht mit Kommentaren hinterfragen. Jeder hat das Recht, Irritationen zu benennen, und sicherlich schaden Sie niemandem mit dem Stuhlkreis.

Je nachdem, wie groß der Abstand des Trainerstuhls zu den Teilnehmerstühlen ist und in welchem Winkel alle Stühle zueinander stehen, treffen Sie unterschiedliche Aussagen zu Ihrer Rolle und Beziehung zu den Teilnehmern. Das klingt spitzfindig: Schauen Sie sich deshalb einmal folgende Zeichnungen an und machen Sie eine eigene Einschätzung zur Wirkung, bevor Sie lesen:

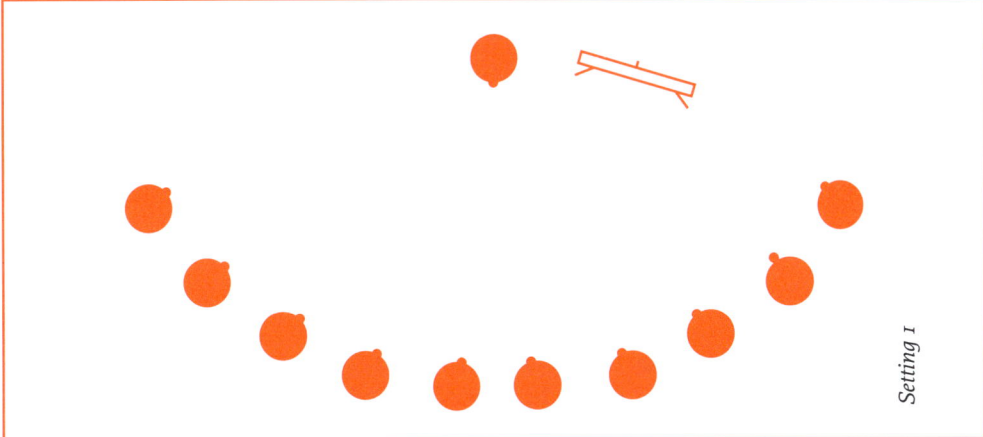

Setting 1

Setting 1

Hier ist der Trainer vorne klar der „Machende" und nicht Teil der Gruppe. Er demonstriert und erklärt, die Teilnehmer schauen und hören zu. In diesem Teil wirkt das Setting eher frontal – die Teilnehmer sitzen dem Trainer fast gegenüber. Vor seinem Platz ist Raum für Demonstrationen wie Rollenspiele oder Übungseinheiten mit einzelnen Teilnehmern. Außerdem können bei diesem Setting alle Teilnehmer schnell und für den Trainer sichtbar zu Kleingruppen zusammengerückt etwas üben. Der Trainer stößt nach Bedarf zu den Kleingruppen oder beobachtet das Gesamtgeschehen.

- Das Setting ist für große Räume und große Gruppen geeignet, in denen es wichtig ist, als Trainer sowohl den Gesamtüberblick auf alle als auch die Kleingruppenarbeit im Blick zu haben und für alle immer sichtbar zu sein.
- Es ist typisch für selbst bezahlte Weiterbildungen mit hohem Praxisanteil der Teilnehmer, die eine hohe Motivation zum Lernen und Üben haben und weniger schnell in private Gespräche abdriften.

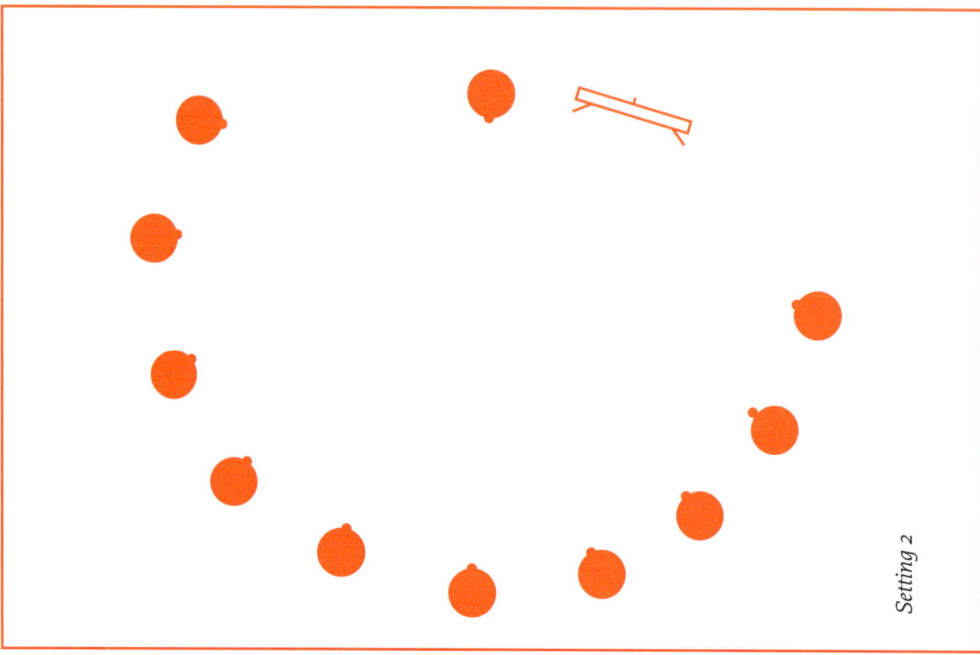

Setting 2

Hier ist der Trainer im Wechsel sowohl der „Machende" als auch fast Teil der Gruppe. Er sitzt mit etwas Abstand zu den Teilnehmern, diese sitzen jedoch weniger frontal zu ihm. Er hat ausreichend Platz, um am Flipchart etwas zu erklären und Kleingruppenarbeit zu initiieren. Durch die Nähe zu den Teilnehmern kann er beiläufig deren Arbeit konkret mitbekommen, mit einsteigen, kurz kommentieren, ohne ansonsten einzugreifen, oder einfach nur von seinem Platz aus das Gesamtgeschehen wahrnehmen.

Das Setting ist geeignet für:
- große Räume mit kleineren Gruppen, die darin nicht verloren gehen sollen,
- auch für kleinere Räume, in denen die Stühle aufgrund der Teilnehmerzahl nicht anders gestellt werden können und der Trainerplatz sich dennoch optisch von den Teilnehmern abheben soll,
- wenn der Trainer die Gruppenarbeiten konkreter im Blick und Ohr haben möchte.

Typisch genutzt wird das Setting für Seminare mit hohem Praxisanteil der Teilnehmer, die aber manchmal weniger Lernmotivation mitbringen, da sie das Seminar nicht bezahlen müssen und z.B. dazu neigen, schneller in private Gespräche oder andere berufliche Themen abzudriften.

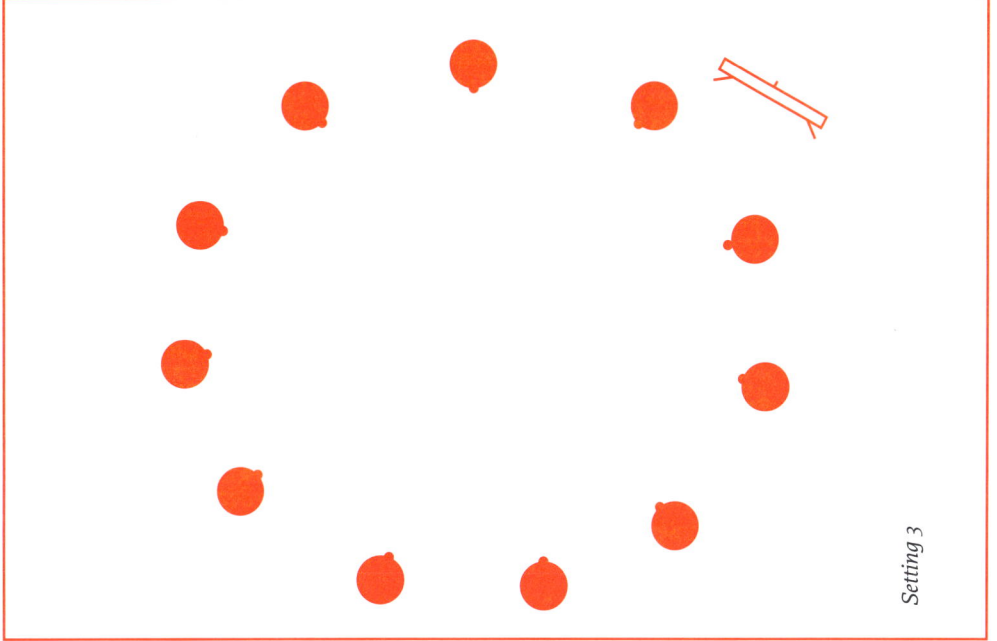

Setting 3

Setting 3

Hier ist der Trainer eher Teil der Gruppe. Er sitzt mit im Stuhlkreis und hat nach rechts und links den gleichen Abstand zu den Teilnehmern. Der Trainer wird hier kaum etwas mit einem Medium wie Flipchart zeigen, sondern Diskussionen leiten, verbale Tipps geben, Austausch anregen. Durch die Nähe zu den Teilnehmern wird Intimität und Vertrauen demonstriert.

Das Setting ist geeignet für: Diskussionen, Supervisionen wie oft im Nonprofit-Bereich üblich, Gruppencoachings, verbale Problemlösungen oder Innenkreis-Außenkreis-Settings im Sitzen bzw. Fishbowl-Settings.

Zusammenfassung Raumsetting

- Bedenken Sie, dass Sie mit der Position der Sitzgelegenheiten und dem Einsatz von Tischen eine Aussage darüber treffen, wie Sie methodisch arbeiten und welche Rolle Sie den Teilnehmern gegenüber einnehmen werden.
- Diese Wirkung entsteht auf der nonverbalen Ebene und vor allem unbewusst und wirkt deshalb umso stärker.
- Überlassen Sie diesen Faktor nicht dem Zufall und seien Sie deshalb früh genug im Seminarraum, um diesen entsprechend der Wirkung, die Sie erzielen möchten, herzurichten. Die Auftraggeber sind in der Regel dabei behilflich, bzw. lassen den Raum zuvor nach Ihren Wünschen einrichten.

5.5 Wer macht was mit wem? – Konkrete Übungsgestaltung

Lernen ist kreieren, nicht konsumieren.

In teilnehmerorientierten Seminaren sind die Teilnehmer also die Hauptakteure. Ihre Lernaktivitäten teilen sich in der Regel in

- Übungen und
- Gruppen- oder Einzelarbeiten auf.

Einige Überlegungen zu den beiden Aktivitätsformen können Ihnen bei der Entwicklung Ihres Seminarkonzeptes helfen.

5.5.1 Übungen

Vereinfacht gesagt: Geübt wird, was neu gelernt wurde, und dies dient zunächst einmal der Festigung. Darüber hinausgehend – und das ist ein sehr wesentlicher Effekt – können die Teilnehmer in den **Übungen** innerhalb des Seminars, also in einem „Schonraum" außerhalb der realen (Arbeits-)Welt, etwas „ausprobieren", was sie zuvor noch gar nicht oder noch nicht **so** gemacht haben. Das hat grundsätzlich drei Vorteile:

1. Die Teilnehmer können erst einmal feststellen, wie es sich **anhört und anfühlt**, etwas Konkretes überhaupt oder eben **anders zu machen als üblich**. Sie erleben den Effekt des Neuen, dessen konkrete Auswirkungen auf die Situation und die daran Beteiligten.

2. Dies hilft, das Neue einzuschätzen und für die „Echt-Situation" als **Handlungsalternative** in Betracht zu ziehen. Das Neue der Übung trifft ja auf etwas „Altes", bereits Vorhandenes des Teilnehmers, also dessen Werte, Erfahrungen und Bedürfnisse. Je besser beides zusammenpasst, umso größer ist die Chance, das Neue tatsächlich in den Alltag zu übernehmen.

3. Sie merken des Weiteren, wie schnell ihnen etwas Neues gelingt bzw. dass es seine Zeit braucht, etwas tatsächlich als unbewusste Kompetenz im Alltag anwenden zu können. Mit mehr Übung und Wiederholung, beispielsweise am zweiten Seminartag, gewinnen Teilnehmer dann jedoch **Sicherheit** und **Zuversicht**, und sie werden bestärkt, weiterhin offen und interessiert zu sein. Die momentan bestehende Tendenz, Seminarzeiten zu verkürzen, wirkt sich gerade an dieser Stelle kontraproduktiv aus.

Hinweis:
Menschen sind natürlich sehr unterschiedlich darin, **ob** und **wie gut** ihnen etwas Neues gelingt. Die individuellen Unterschiede liegen auch daran, wie hoch ihr Anspruch ist, etwas sofort zu können.

Mir fällt in meiner Seminarpraxis immer wieder auf, dass Erwachsene weniger bereit sind zu akzeptieren, dass sie etwas Neues nicht schon in fünf Minuten beherrschen und auswendig können. Klappt es nicht nahezu unmittelbar, wird oft in der Folge das gesamte Thema, die Technik o.Ä. als inakzeptabel angesehen. Es entstehen dann schnell Diskussionen darüber, „ob man dies denn wirklich so machen könne oder ob es denn die beste Lösung sei" etc., und dies schlägt immer auch unmittelbar auf die Stimmung in der Gruppe.

Das Seminar ist nicht der Ort, die Gründe dafür zu diskutieren. Ich weise bei entsprechenden Reaktionen gerne freundlich und ironiefrei auf die kurze Zeitspanne hin oder erinnere beispielsweise an die Phase des Laufenlernens im Kleinkindalter. Ohne die immer fortwährende Bereitschaft, das Laufen zu probieren, würde sich schließlich keiner von uns auf zwei Beinen fortbewegen. Beim Seminarinhalt kann man, im Gegensatz zum Laufen, oftmals noch gar nicht vollständig einschätzen, wozu das Neue hilfreich ist, was es genau bewirkt und wie es mit anderen Dingen zusammenhängt.

Meist sickert dieser Aspekt erst im Laufe des Seminars und danach durch, was in der Natur des Lernens liegt. Es ist hilfreich, wenn Sie diesen Aspekt immer mal wieder insbesondere außerhalb von „Problemen" erwähnen, um ihn so unbewusst bei den Teilnehmern ankommen zu lassen.

5.5.2 Gruppen- oder Einzelarbeiten

Ein wesentlicher Unterschied beider Methoden gegenüber der Übung liegt darin, dass das Ziel der Einzel- oder Gruppenarbeit nicht ist, etwas Neues auszuprobieren bzw. anzuwenden, sondern:

- **Gruppenarbeiten** zielen darauf ab, dass Menschen sich über etwas austauschen, klar werden, ihre Erfahrungen und Meinungen einbringen oder zunächst etwas Neues kennen lernen.
- In einer **Einzelarbeit** schätzen Teilnehmer z.B. sich selbst bezüglich eines Verhaltens ein oder erkennen ihren Stand der Dinge in einem Thema.

Je nach Seminarlänge und Brisanz des Seminarthemas sollte ein Austausch kürzer oder länger sein. Im Zweifel spreche ich das Thema „Länge" an, um klarzumachen, dass diese so geplant war und auch sinnvoll ist. Ich tue dies auch, wenn ich bemerke, dass sich im Seminarverlauf die Zeiten spontan ändern.

Außerdem ist natürlich Abwechslung in den Methoden der Gruppenarbeiten wichtig, damit Ihre Teilnehmer (und Sie natürlich auch!) durch die Abwechslung interessiert, neugierig und wach bleiben.

Mögliche Methoden werden im Kapitel 6 ausführlich vorgestellt.

5.5.3 Welche Folgen ergeben sich für die Gestaltung von Übungen und Gruppenarbeiten?

1. Lassen Sie Teilnehmer etwas Neues schrittweise erleben.

Bauen Sie Übungen so auf, dass die Teilnehmer das, was letztendlich beherrscht werden soll, in kleineren Teilkompetenzen erproben können. Sprechen Sie außerdem an, dass sie etwas Neues in Ruhe und auf unterschiedliche Weise üben werden, sodass sie sich entspannt darauf einlassen können.

2. Geben Sie Teilnehmern viele Chancen, Erfolge zu sammeln.

Aufgrund positiver Rückmeldungen meiner Teilnehmer bin ich der Meinung, dass es weniger hilfreich ist, Teilnehmer erst in eine Übung zu schicken, bei der sie auf jeden Fall „Fehler" machen werden, um diese anschließend Stück für Stück herauszuarbeiten und Tipps zur Verbesserung zu geben. Ich habe nichts dagegen, Menschen Hinweise auf ihren aktuellen „Ist-Zustand" zu geben, aber ohne ihnen vorher schon einmal etwas an die Hand zu geben, würde ich dies niemals tun.

Warum sollte ich beispielsweise jemanden zuerst vor die Aufgabe stellen, ein Regal anzubringen, wenn ich genau weiß, dass er weder eine Wasserwaage noch die unterschiedlichen Dübelarten kennt, um ihm genau dies zu zeigen, nachdem sein Regal von der Wand gefallen ist?

LASSEN SIE IHRE TEILNEHMER IMMER ERST ETWAS NEUES KENNEN LERNEN, SODASS SIE DIE NEUEN KOMPETENZEN IN ZUSAMMENHANG MIT BEREITS BEKANNTEM BRINGEN KÖNNEN.

Sie werden sich positiv daran erinnern (nach dem Grundsatz der positiven Suggestionen der Suggestopädie) und motiviert sein, das Erprobte tatsächlich anzuwenden.

3. Seien Sie grundsätzlich vielfältig in Ihren Methoden, aber wechseln Sie nicht nur um des Wechselns willen.

Wenn sich eine Methode einfach gut mit einem Ziel verträgt, bleiben Sie dabei und wechseln später. Die Teilnehmer werden dies positiv bemerken.

4. Überlegen Sie, ob ggf. ein Erfahrungsaustausch wichtiger sein könnte, als etwas Neues zu lernen und zu üben.

Manchmal ist der Austausch die wertvollste Seminarzeit – wie oft musste ich dies schon erkennen! Beachten Sie zusätzlich die zuvor festgelegten Seminarziele – sie geben Ihnen einen klaren Anhaltspunkt, ob der Austausch eines der wichtigen Ziele ist.

5. Befassen Sie sich zusätzlich mit den Themen Persönlichkeit(stendenzen), Werte und Bedürfnisse von Menschen.

Es hilft Ihnen als Trainer, (nicht nur) die Übungen darauf abzustimmen bzw. in den Übungsphasen entsprechend reagieren zu können. Mehr dazu finden Sie im letzten Kapitel dieses Buches und in weiterführender Literatur.

5.5.4 Drei konkrete Schritte zur Entwicklung einer Teilnehmeraktivität

Schritt 1: Legen Sie die Ziele der Aktivität fest, damit das Ergebnis und die Methode nicht zufällig entstehen.

BEISPIEL:

Die Teilnehmer **wissen**, mit welchem Stift sie beim Schreiben auf dem Flipchart ein lesbares und souverän wirkendes Schriftbild erlangen.

Sie **kennen** die spezielle Haltung des Stiftes und haben diese **erprobt** und individuelle Tipps zur Optimierung ihres eigenen Schriftbildes **umgesetzt**.

Ihnen ist **bewusst** geworden, dass die Auswahl der richtigen Stifte und deren Handhabung der entscheidende Faktor für ein souveränes Schriftbild sind und sie dieses innerhalb kurzer Übungszeiten erfolgreich umsetzen können.

Schritt 2: Definieren Sie einen Erfolgsnachweis und stellen Sie die Frage: „Woran erkenne ich, dass das Ziel erreicht wurde?"

BEISPIEL:

Die Teilnehmer erstellen innerhalb von 30 Minuten Textplakate mit lesbarer Schrift und schreiben auch mit unterschiedlichen Stiftarten auf die richtige Art und Weise.

Sie achten bewusst darauf, die Tipps umzusetzen, indem sie sich selbst korrigieren und das Schriftbild der anderen Teilnehmer einschätzen können.

Schritt 3: Bauen Sie die Aktivität mit spezifischen Schritten auf: planen Sie den Zeitrahmen, die Gruppierung und die konkreten Aufgaben aller Teilnehmer.

a) Zeitrahmen

Entscheiden Sie je nach Gesamtlänge des Seminars, wie viel Zeit Sie jeweils für die Aktivität geben – Ihre eigenen Erfahrungen und die anderer Trainer im Austausch werden Ihnen Hinweise auf die angemessene Dauer der jeweiligen Übung geben.

Die absolut richtige Dauer gibt es nicht und falsch wäre es nur, keinen Puffer einzuplanen.

Praxistipp zur Planung des Zeitrahmens

Kennen Sie den „Gas-Effekt"? Wenn Sie Gas in einen Behälter füllen, wird sich dies darin maximal verteilen. Wenn Sie die gleiche Menge Gas in einen größeren Behälter geben, wird es sich auch darin maximal verteilen. Übertragen auf die Übungsplanung heißt das: Eine Übung dauert so lange, wie Sie ihr Zeit einräumen. Planen Sie 30 Minuten, wird sie wahrscheinlich auch so lange dauern, planen Sie 45 Minuten ein, auch.

Durch eine Zeitvorgabe geben Sie auch den Grad der „zeitlichen Ausbreitung" vor, und dieser wird sich auf die Art, wie Teilnehmer arbeiten und wie ihre Ergebnisse sind, auswirken.

Achten Sie darauf, dass Teilnehmer wirklich in Ruhe arbeiten bzw. üben können, aber kontrollieren Sie die Dauer der Übung oder Gruppenarbeit von Zeit zu Zeit – insbesondere wenn diese in verschiedenen Räumen stattfinden.

---

b) Gruppierungen

Planen Sie die Aktivitäten je nach Ziel in unterschiedlichen Konstellationen. Als Nebeneffekt bringen Sie Abwechslung ins Seminar.

→ **Einzelarbeit** ist typisch für ...
  ▸ Selbsteinschätzungen (z.B. Persönlichkeitsanalyse),
  ▸ individuelle Übungsvorbereitung (z.B. eine Rede im Rhetorikseminar) oder
  ▸ persönliche Aktivität (z.B. Ziele festlegen beim Zeitmanagement).

→ **Kleingruppenarbeit** mit 3 bis 5 Personen in einem kleinen Stuhlkreis oder Stehkreis oder an einem Tisch oder einer (Pinn-)Wand ist typisch für ...
  ▸ Sich neues Wissen erarbeiten (z.B. Gruppen zu je 2 bis 4 Teilnehmern, die sich gegenseitig an einer Pinnwand Informationen vorlesen und darüber ins Gespräch kommen oder auf der Wand etwas zu einer Frage notieren),
  ▸ Üben von Fertigkeiten (z.B. eine neue Gesprächstechnik mit anderen Teilnehmern anhand eines Arbeitsblattes ausprobieren),
  ▸ Üben von Fertigkeiten im ABC-Setting (z.B. A übt eine Coachingtechnik mit B, C beobachtet und gibt Feedback, anschließend erfolgt ein Rollentausch),
  ▸ Themeneinstieg mittels „Murmelgruppen" (3 bis 5 Teilnehmer tauschen sich parallel zu ein bis drei Fragen aus).
→ **Partnerarbeit:** Bis auf das ABC-Setting ist die Partnerarbeit vergleichbar mit der Kleingruppenarbeit.

Sie ist insbesondere für die Vernissage am Anfang des zweiten Seminartages geeignet, in der Teilnehmer sich im Stehen die Lernposter und anderen Materialien des ersten Seminartages noch einmal ansehen und darüber reden.

▶ **Vorteil**: Diese Konstellation ist auch im Stuhlkreis möglich, indem die Sitznachbarn sich über etwas austauschen, eine Aufgabe mittels Arbeitsblatt lösen oder etwas Konkretes praktisch üben (z.B. im Kommunikationssemiar die Stimmübung, Schlagfertigkeitstechnik, Wirkung eines bestimmten Bereiches der Körpersprache etc., Sie finden für Ihr Seminarthema selbst Beispiele).
▶ **Nachteil**: Wenn zu wenig Teilnehmer vorhanden sind, kann der Austausch zu zweit schnell zu wenig neue Infos geben. Wenn die Teilnehmer nicht die Plätze wechseln, spricht man mitunter immer mit der gleichen Person. Achten Sie hier immer auf neue Partnerkonstellationen und lassen Sie ggf. auch einmal die Gruppe gemeinsam etwas lösen (bis maximal 6 Teilnehmer, ist dies z.B. mithilfe eines Arbeitsblattes möglich).

→ **Aktivitäten zwischen Gruppen** sind typisch für ...
gegenseitiges Vermitteln von Wissen, wobei mehrere Gruppen zunächst in ein Thema „eintauchen". Dazu erhalten sie unterschiedliches Infomaterial.

Variante 1: Anschließend erklärt je eine Gruppe allen anderen Gruppen ihr Thema, bis alle Teilnehmer alle Themen kennen gelernt haben. Jede Gruppe verteilt im Anschluss ihr Infomaterial.

▶ **Vorteil**: Sie bekommen eine zusätzliche Situation, um das Präsentieren von Ergebnissen zu üben. Sie könne die Ergebnisse der Gruppenarbeit einschätzen und ggf. noch korrigieren.
▶ **Nachteil**: Meist spricht nur ein Teil der Gruppe. Das Interesse lässt bei den anderen häufig schnell nach, wenn 3 bis 4 Gruppen ihre Ergebnisse präsentieren. Oft hört am Ende nur noch der Trainer richtig zu, der die Themen bereits kennt.

Variante 2: Es werden neue Gruppen gebildet, die aus je einem Teilnehmer der anderen Gruppen bestehen. In dieser Konstellation erklärt jeder reihum den anderen das Thema der Gruppe, in der er zuvor war, und verteilt Infomaterial.

▶ **Vorteil**: In der Konstellation muss jeder etwas tun und trägt Verantwortung für das Thema, alle werden interessiert an den Themen der anderen Gruppen sein, denn man „steigt" bei der Gruppengröße mit ca. 4 Teilnehmern nicht einfach „aus".
▶ **Nachteil**: Sie können als Trainer das Ergebnis nicht bei allen Gruppen gleichzeitig mitbekommen und damit die Qualität ggf. nicht ausreichend prüfen.

Schauen Sie also schon in der Phase der Erarbeitung der Themen in den einzelnen Gruppen vorbei und überprüfen Sie, ob alles grundsätzlich in Ihrem Sinne verstanden wurde. Vertrauen Sie dann aber darauf, dass jeder es schon auf seine Art den anderen näherbringen wird.

→ **Aktivitäten der Gesamtgruppe** sind typisch für ...

- ▸ Plenen Austausch von Ergebnissen der Kleingruppenarbeit (z.B. im Anschluss an eine „Murmelgruppen-Konstellation", in der Leitfragen diskutiert wurden),
- ▸ Einzelfallanalyse mit Beteiligung und Lerneffekten für die Gesamtgruppe (ein Teilnehmer schildert ein persönliches Erlebnis, zu dem er gerne einen Hinweis oder Ratschlag hätte),
- ▸ Übung mittels Arbeitsblatt (maximal 6 Teilnehmer, idealerweise am Tisch lösen, z.B. eine schriftliche Kommunikationsaufgabe), die Gruppe spielt zur Vertiefung ein Lernspiel (Memory oder Der große Preis oder ein Brettspiel etc.; dies ist bei Gruppen ab 8 Teilnehmern besser als in Kleingruppen umsetzbar!).

Entscheiden Sie also je nach Ziel und Gruppengröße, welche die passende Konstellation für die Übung ist.

c) Die Rollen der Teilnehmer und die Aufgabe jedes Einzelnen innerhalb der Aktivität klar definieren
Legen Sie konkret fest, wer was genau tun soll. Überlegen Sie zunächst, ob Sie die unten stehenden Fragen überhaupt in die Übungsplanung einbeziehen wollen, im Anschluss konkretisieren Sie Ihr Vorgehen.

Folgende Fragen könnten Sie sich stellen:
- Wie genau soll von wem etwas notiert werden? Was genau passiert mit den Notizen?
- Wie werden im Anschluss an eine Übung die Ergebnisse vorgetragen bzw. ausgewertet?
- Soll jeder während der Übung (nur) eine bestimmte Redezeit haben bzw. wann und wie erfolgt ein Rollenwechsel, wenn nötig?
- Sollen die anderen, z.B. während einer Moderations- oder Kommunikationsübung, bestimmte Rollen übernehmen und soll der Übende das zuvor wissen?

5.6 Der Lernkreislauf als didaktische Konzeptionsbasis

Natürlich teilen Sie das Seminarthema in einzelne Themenblöcke auf, so, wie diese Ihrer Meinung nach logisch nachvollziehbar aufeinander folgen müssen. Der Lernkreislauf hilft Ihnen nun dabei, diese Themen auch in eine **didaktisch sinnvolle Reihenfolge** zu bringen, sodass die Teilnehmer nicht mit Infos überhäuft werden und Neues erst verstehen können, bevor sie üben. Sie erinnern sich? Schauen Sie sich noch einmal den Kreislauf auf Seite 39 an.

Überlegen Sie also für jeden Themenblock, wie Sie motivierend einsteigen, den Stoff anschließend vermitteln und auf welche Art Sie ihn wiederholen wollen. Wägen Sie aus den bekannten Methoden und Ihren neuen Ideen ab, wie die Vertiefungsphase für dieses Thema, diese Gruppe, diesen Raum etc. methodisch gestaltet sein könnte. Die gleichen Überlegungen gelten für die Anwendungsphase – also das Üben – und die Integration am Ende der Themensequenz.

Planen Sie auch, auf welche Art Sie eine besonders passende Tagesmotivation zu Seminarbeginn arrangieren können und wie der Tagesabschluss gestaltet sein soll, sodass sowohl der Themen- als auch der didaktische Kreis am Ende geschlossen sind.

5.7 Aufbau eines Seminarkonzeptes

Auf Basis der vorherigen Überlegungen können Sie nun ein schriftliches Seminarkonzept erstellen. Bewährt hat sich aus meiner Sicht eine Gliederung in folgende Spalten:

- Dauer der Seminarphase,
- Thema/Lernphase,
- Ziel der Phase,
- Methode/Material
- Hinweise.

Wie Sie dies im Einzelnen und technisch am Besten tun, mit welchem Material, mit einem Computerprogramm oder gar handschriftlich, möchte ich nicht entscheiden. Ich verwende eines der bekannten Schreibprogramme und benutze darin die Tabellenfunktion, mit der ich mich einfach gut auskenne.

Auf der folgenden Seite finden Sie ein Seminarkonzept in tabellarischer Form als Beispiel. Sie sehen: Ich verwende eine Tabelle im Querformat mit den gerade aufgeführten Überschriften. Ich lasse diese Kopfzeile über die Tabellenfunktion auf den Folgeseiten automatisch wiederholen. Ein paar markante Punkte wie Pausen oder neue Themenblöcke hebe ich mit grauer Schattierungsfarbe hervor – fertig!

Die nachfolgend abgedruckte Tabelle ist verkleinert wiedergegeben. Eine Vorlage im Format A4 für ein tabellarisches Konzept finden Sie auf der CD-ROM; Sie können es nutzen, bedarfsweise ändern etc. Und wenn Sie es aus der Hand geben – denken Sie daran, Ihren Urhebervermerk aufzubringen.

Beispiel zum Aufbau eines Seminarkonzeptes

Dauer	Thema/Phase	Ziel	Methode/Material	Hinweis
20 Min.	Begrüßung/ Motivation	Kontakt, Vertrauen, Interesse und Motivation für's Thema	Begrüßung und Orga, dann Murmelgruppen zu zweit (unbekannte TN)	keine Kamera, Handouts per Mail 2. Tag kein Mittagessen und 15.00 Uhr Ende!
5 Min. pro TN	Problemliste	▸ Kennenlernen der Probleme ▸ S-Themen entwickeln ▸ die Methode kennen lernen	Trainer notiert auf Pinnwand die Probleme d. TN, diese voten per Punkte ihre wichtigsten	5 Punkte pro TN bei 9 Themen, max. 2 Punkte doppelt vergeben
⋮	⋮	⋮ ⋮	⋮ ⋮	⋮ ⋮
⋮				
⋮ ⋮				

6 Bemerkenswerte Methoden und Medien

Wer Kenntnisse zur Suggestopädie und zum Accelerated Learning erworben hat und professionelle Seminarkonzeption betreibt, kommt zwangsläufig zu dem folgenden einen Schluss:

BEMERKENSWERTES VERMITTELN BRAUCHT UNTERSCHIEDLICHE METHODEN UND DAZU PASSENDE MEDIEN, DAMIT TEILNEHMER IHRE LERNZIELE ERREICHEN KÖNNEN.

Damit ist, etwas zugespitzt formuliert, die Voraussetzung gemeint, dass der Trainer nicht seinen Stoff einfach nur „durchziehen" will, sondern in seinem Seminar **Menschen zu verändertem Denken und Handeln** bewegen möchte. Wenn also genau dieses „kreierende Lernen" gemeint ist, brauchen Teilnehmer Methoden, in denen sie in einer Gruppe und einem konkreten Zeitrahmen mittels „Objekten" etwas Konkretes machen. Im besten Falle hat dies zum Ergebnis, dass sie am Ende anders und individuell bewerten, „besser" denken, erleben und handeln, als dies zuvor der Fall war. Damit berühren und rühren Sie Ihren Teilnehmer in den Seminaren tatsächlich – Sie bringen etwas in Gang, was im Gegensatz zum „berieselnden" Vermitteln kaum möglich ist.

Allerdings ist das berieselnde Vermitteln noch immer stark, vielleicht sogar mehr verbreitet als das berührend-aktivierende. Das hat unterschiedliche Gründe und ein entscheidender liegt in einer Art Teufelskreis: Weil das berührend-aktive Vermitteln vielfach nicht konsequent praktiziert wird, werden Sie immer Teilnehmer in Ihren Seminaren haben, die aktivierende Seminare nicht gewohnt sind. Wenn Sie nun glauben, dass Ihre Teilnehmer aufgrund ihrer Gewohnheiten diese Methoden nicht wollen, werden Sie deren gewohnten Erwartungen entsprechen. Dabei ist es egal, ob Sie das in gewisser Weise als „Kundenorientierung" (Eingehen auf Kundenwünsche) tun oder weil es für Sie zunächst einfacher ist.

Wenn Sie aber überzeugt davon sind, dass aktivierende Methodik und Didaktik sowohl den Teilnehmern also auch dem Trainer großen Nutzen bringt, werden Sie diese selbstverständlich umsetzen. Ich hatte es in diesem Buch schon einmal erwähnt: Da Sie mit „bemerkenswerten Seminaren" keinen Schaden, sondern genau das Gegenteil „anrichten", werden Sie Ihr Vorgehen sicherlich nicht diskutieren, sondern allenfalls auf Nachfrage erläutern. Die Umsetzung hängt also vor allem von Ihrer inneren Haltung gegenüber dieser Art des Lernens ab. Sie beeinflusst die Akzeptanz der Methoden und damit den Erfolg am meisten. Erfolgreichere Seminare liegen wiederum auch im Interesse der Auftraggeber.

Ihre konsequente Haltung ist also der Schlüssel, um den Teufelskreis zu durchbrechen. Ihre Begründung resultiert mit aus den **Erkenntnissen der modernen Gehirnforschung**. Mir haben die folgenden Erkenntnisse zu Beginn meines suggestopädischen Lehrens gute Denkanstöße gegeben:

Handlungskonsequenzen aus der modernen Gehirnforschung

- Was den Menschen umtreibt, sind nicht Daten und Fakten, sondern Gefühle, Geschichten und Menschen. Also lassen Sie diese Dinge in Ihr Lehren einfließen, um Menschen zu erreichen.

- Geben Sie dem Gehirn (be)merkenswerte Neuigkeiten, statt es mit *„Oh, das ist ja wie immer"* zu langweilen. Erfüllen Sie die üblichen Erwartungen nicht!

- Verlassen Sie auch als Trainer immer wieder Ihr sicheres Terrain, um neuem Denken und Handeln Raum zu geben.

- Erwähnen und entwickeln Sie mit den Teilnehmern Beispiele, an denen sie Regeln ableiten können, nach dem Motto:*„Wenn das hier in der Situation x so ist, dann heißt das für die Situation y ..."* Damit ersparen Sie sich Arbeit und Zeit, Wissen für alle Situationen einzeln zu vermitteln, und können die Zeit in Methoden investieren.

- Noch wichtiger ist aber, dass die Teilnehmer so erleben, wie sie mittels Ableitungen und Ausschlussverfahren ihre Selbstlernkompetenz erweitern, statt alles einzeln „vorgekaut" zu bekommen. Nehmen Sie die Teilnehmer als erwachsene Lerner ernst.

6.1 Medien

Unter Medien werden alle Hilfsmittel zusammengefasst, die den Vermittlungsprozess unterstützen – so lautet eine mehr oder weniger offizielle Definition. Für mich sind Medien in erster Linie konkret greifbare Dinge, die einen Lerninhalt leichter, weil „aktiver" verständlich machen (was der Definition letztendlich nicht widerspricht).

GENAUER SOLLTEN MEDIEN IM SINNE DES ACCELERATED LEARNING DAZU DIENEN, DIE TEILNEHMER ZU AKTIVIEREN, SIE ALSO ETWAS GEMEINSAM TUN ZU LASSEN.

Ausschließlich als Abwechslung zur Vermittlung von Inhalten eingesetzt, verlieren sie schnell ihre Wirkung. Denn frontales Vermitteln bleibt frontales Vermitteln, ob mit Folien, Postern oder Karten.

Manches, das als Medium bezeichnet wird, wie etwa das Flipchart (also der Flipchartständer, der das Papier hält), sind eher Hilfsmittel der Medien selbst – in diesem Fall des Posters, auf dem die eigentlichen Informationen oder Bilder zu sehen sind. Ein Poster kann also auch ohne Flipchartständer verwendet werden, obwohl das sicherlich etwas unkomfortabel ist. Welche Medien bieten Ihnen nun welche Möglichkeiten und welche Grenzen?

6.1.1 Präsentationssoftware (PowerPoint): Fluch, Gewohnheit oder Segen?

Nach wie vor sind PowerPoint-Folien in Kombination mit Rechnern und Beamer **das** bevorzugte Medium in der Vermittlung. Sowohl offizielle Umfragen als auch persönliche Erfahrungen bestätigen dies. Die Beliebtheit ist langsam rückläufig, aber es wird wohl noch etwas Zeit vergehen, bis andere Medien wieder gleichrangig neben den Folien stehen werden.

Alle Gründe dafür möchte ich an dieser Stelle nicht erläutern, aber dass sich PowerPoint Mitte der Neunzigerjahre des letzten Jahrhunderts langsam durchsetzte, schien vor allem mit dem Neuigkeitswert in Kombination mit der vermeintlich einfachen Bedienung und schnellen Umsetzung zusammenzuhängen.

Nicht zu vergessen ist, dass sich aus den präsentierten Folien ja auch zügig ein so genanntes Handout für die Zuhörer erstellen lässt. Genau da liegt auch die Krux: Oftmals wird eben genau dieses umfangreiche Handout präsentiert. Die Folge ist, dass Folie an Folie abgelesen wird, anstatt die Themen, unterstützt durch prägnante Stichwörter und Bilder, frei und damit lebendig vorzutragen.

Meine **Kritik** (und damit stehe ich nicht allein da) richtet sich einzig **gegen dieses Vorlesen des Handouts** (auch spreche ich hier nicht von einer universitären Vorlesung). Steht hingegen der Sprecher im Mittelpunkt des Geschehens und weiß dieser, was und vor allem wie er es sagen möchte, sodass es die Zuhörer mitreißt, ist gegen die eine oder andere unterstützende PowerPoint-Folie nichts einzuwenden, im Gegenteil. Die Verbindung von Vortrag und Visualisierung (die mit dem Hilfsmittel PowerPoint gut und einfach möglich ist) entspricht gerade den Erkenntnissen der Lernforschung.

Kurzes, einfaches Beispiel: Man kann „lang und breit" über die Überpopulation in einem Land reden und ein bis fünf Folien mit Informationen dazu bestücken. Selbst wenn man die dazu bekannten Regeln einhält (z.B. eine Kurve statt einer Statistik zu zeigen) – wird ein Foto, das diese Situation stattdessen beispielhaft darstellt, etwas bei den Zuhörern auslösen und es transportiert die Aussage ohne Umwege.

Vorteile und Möglichkeiten von PowerPoint-Folien

- PowerPoint-Folien sind auch für große Gruppen und Räume geeignet, da die Folien über einen (modernen!) Beamer stark vergrößert gezeigt werden können.
- Film- und Tonsequenzen lassen sich gut in PowerPoint-Präsentationen integrieren.
- Fotos und Schlagwörter sind schnell und einfach auf Folien gesetzt.
- Abläufe oder Prozesse, die nicht als Film vorhanden sind, lassen sich mittels Objekten und Animationen gut darstellen.
- Sind ein Rechner und die Software vorhanden, sind die Kosten bei der Herstellung niedrig.

Nachteile und Hindernisse von PowerPoint-Folien

- Bedenken Sie grundsätzlich: Der Einsatz von Hightech garantiert nicht immer auch einen hohen Präsentationserfolg. Die besten Animationen und Bilder nutzen nichts, wenn sie die Zuhörer nicht erreichen. Visualisierungen sollten Hilfsmittel für die Rede sein und nicht die Präsentation selbst.

- Der Aufwand für eine professionell gestaltete Präsentation mit sinnvollen Animationen ist entgegen vieler Behauptungen nicht gering, sondern relativ hoch! Wenn Sie eine Präsentation öfters verwenden, lohnt sich dieser Aufwand sicherlich, Sie sollten ihn nur auf jeden Fall einkalkulieren.

- Ein Präsentierender tut gut daran, auswendig zu wissen, was er sagen möchte, wenn er mit diesem Medium professionell wirken möchte.

  Weder ist es passend, den Kopf zur Leinwand zu drehen noch auf den Monitor des Rechners zu schauen, um den Inhalt der Folie zu erfassen. Sie sollten mit Ihrem Blick zum Publikum gerichtet und den Folien im Hintergrund frei sprechen können und sich maximal umdrehen, um an der Leinwand etwas mit Ihren Händen hervorzuheben.

  Gute Redner haben dies erfolgreich vorgemacht; auf den einschlägigen Internetseiten mit Videos werden Sie dazu fündig.

- Sie sind der (funktionierenden) Technik ziemlich ausgeliefert. Wenn Rechner oder Beamer versagen, haben Sie in der Regel nichts mehr in der Hand, außer Sie haben alternative Medien vorbereitet.

! Tipps:

- Sie sollten auf jeden Fall die Technik vor Beginn ausreichend prüfen!
  Jeder Beamer zeigt die Folien (d.h. die Farben auf den Folien) anders an.
  Manche Beamerbirne/-lampe wurde schon lange nicht mehr gewechselt, nicht jedes Kabel arbeitet einwandfrei.
  Manchmal macht das Zusammenspiel zwischen Computer und Beamer Probleme und muss angepasst werden.
- Ältere Beamer (vor 1998) sind in Lichtstärke und Auflösung oft sehr schwach. Man muss also den Raum verdunkeln und die Bildqualität ist dennoch oft nicht zufriedenstellend.
- Wenn Sie tiefer in das Thema „Professionelle Präsentationen mit PowerPoint-Folien" einsteigen möchten oder dieses Medium noch gar nicht kennen, empfehle ich Ihnen ein zweitägiges Seminar, in dem idealerweise mit suggestopädischen Methoden gearbeitet wird.
  Erste Tipps, die ausreichen, etwas Text und Bilder angemessen auf den Folien zu platzieren, finden Sie auf der CD-ROM zu diesem Buch.

Ergänzung Overheadfolien

Auch in Zeiten der Beamer behält die klassische Overheadfolie ihre Berechtigung. Dazu einige Tipps:

- Im Grunde gilt hier Ähnliches wie für die PowerPoint-Folien. Zu viele davon über einen längeren Zeitraum sind nicht wirkungsvoll, sondern einschläfernd. Einzig das Tempo dürfte hier langsamer sein.
- Gezielt eingesetzt – um beispielsweise vor einem größeren Publikum eine nicht so einfach zu zeichnende Abbildung zu zeigen oder ein Schlagwort zu inszenieren– ist die Overheadfolie geradezu ideal.
- Beachten Sie auch hier die Empfindlichkeit der Technik (Lampe/Birne!) und die Tatsache, dass Ihre Zuhörer die Dinge seitenverkehrt sehen.
- Linkshänder haben zumindest beim Liveschreiben und -zeichnen Nachteile: Die Stifte schmieren schnell und so manche Folie wurde dadurch optisch verunstaltet, ganz abgesehen von Ihrem Handrücken. Ich bevorzuge daher bedruckte Overheadfolien, die ich mit Seidenpapier getrennt voneinander in einer Hülle lagere.

6.1.2 Lernposter

Wir starten mit einem einfachen Beispiel des Vergleichs von Seminarszenarien.

BEISPIEL: ZWEI SEMINARSZENARIEN

Stellen Sie sich vor, Sie würden heute an einem Seminar teilnehmen, und Sie betreten das entsprechende Seminargebäude. Die Türen der Seminarräume sind so weit geöffnet, dass Sie einen Blick auf den Bereich des Trainers werfen können.

Im ersten Raum können Sie eine Leinwand erblicken, erkennen davor den schon angeschalteten Beamer und Sie hören das leichte Surren des Gerätes. Daneben liegt die Fernbedienung, ein Laserpointer und auf dem Tisch daneben steht ein gefülltes Wasserglas.

Sie gehen den Gang weiter entlang und blicken in einen anderen Raum. Dort schauen Sie als Erstes auf eine Pinnwand, die mit Papier bespannt ist. Darauf sind vier beschriftete DIN-A4-Karten in unterschiedlichen Farben gepinnt. Auf dem Flipchartständer daneben lesen Sie in schöner Schrift den Namen des Seminars, den des Trainers und betrachten darunter eine kleine Illustration, die eine Gruppe von Teilnehmern darstellen soll. Auf einem Tisch im Hintergrund erkennen Sie ein paar sorgfältig ausgelegte Bücher.

- Welcher Raum wirkt individueller?
- Mit welchen Medien fühlen Sie sich persönlich mehr angesprochen?

Obwohl in der heutigen Zeit mehr Interesse an den technisch aufbereiteten Präsentationen zu sein scheint, ist das Flipchart bzw. die damit erstellten Poster nach wie vor ein sehr wirkungsvolles Medium. Es wirkt **persönlicher** gegenüber den Teilnehmern und ist **individueller** als Folien – denn Poster repräsentieren Ihren persönlichen (Trainer-)Stil. Der Redner steht bei diesem Medium im Mittelpunkt und füllt die Präsentation mit Leben. Was hindert also viele daran, Poster zu verwenden? Welche Chancen stecken dahinter, Poster einzusetzen?

Nachfolgend ist beispielhaft ein Poster (in Schwarz-Weiß) abgebildet. Da auf dem Poster (natürlich) mit Farbe gearbeitet wird, finden Sie dieses und alle weiteren Bildbeispiele nochmals farbig auf der CD-ROM.

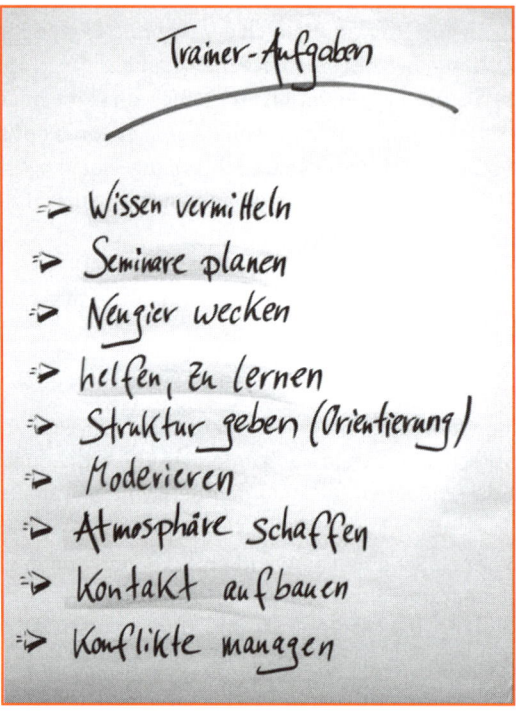

Beispiel eines einfachen Posters (auf der CD-ROM in Farbe zu sehen)

Vorteile und Möglichkeiten von Lernpostern/Flipcharts

- Flipcharts, wenn sie mit einfachen Mitteln wirkungsvoll gestaltet sind, wirken sehr professionell und wertschätzend.
- Wenn Sie das gleiche Seminarthema nicht nur einmal halten – und dies ist der normale und sicherlich auch ideale Fall – lassen sich vorbereitete Poster über einen langen Zeitraum immer wieder verwenden. Voraussetzung ist, Sie lagern sie entsprechend geschützt z.B. in einer Poster-Rolle.

- Haben Sie schon einmal ein neues Seminarthema vorbereitet und dabei festgestellt, dass Sie inhaltlich noch etwas unsicher waren? Nun, ich jedenfalls kenne das und vorbereitete Poster helfen dabei, diese Unsicherheiten zu kompensieren:

  Zum einen können Sie während der Pausen oder in Übungsphasen einen Blick auf die am Flipchart hängenden Poster werfen und sich so an entfallene Dinge erinnern.

  Während Sie präsentieren, stehen Sie ja seitlich zum Flipchart und können so völlig natürlich zwischen Blickkontakt zum Publikum und zum Poster hin und her wechseln und sogar noch auf die besonderen Stichpunkte mit der Hand zeigen.

- Wenn Sie die besprochenen Flipcharts anschließend noch im Raum aufhängen, statt sie auf dem Ständer umzublättern, können Sie und Ihre Teilnehmer sich später in unterschiedlicher Weise darauf beziehen, je nach Methode. Sie können z.B. eine gute Gedankenstütze sein, denn die Zuhörer erhalten die Möglichkeit, häufiger auf die Visualisierungen zu schauen als bei Folien, die ja nach dem Präsentieren wieder „verschwinden". Die Einstimmung und Wiederholung am zweiten Seminartag anhand der Poster des Vortages ist eine übliche und systematische Methode (Vernissage, siehe Kapitel 6.2.4.1).

- Sie bringen als Nebeneffekt Farbe und Atmosphäre in den Seminarraum.

- Poster wirken sehr lebendig und vor allem persönlich, wenn Sie sie direkt und simultan schreiben. Alle Zuhörer können den Entstehungsprozess der Visualisierung beobachten und erkennen dort ihre diskutierten Themen wieder.

- Mit Postern sind Sie spontan in Ihrem Medieneinsatz. Sie können leicht etwas visualisieren und situative Darstellungen und Veränderungen sind schnell möglich.

- Mithilfe einer Digitalkamera lassen sich Poster in kurzer Zeit in Dateiform festhalten und (übrigens hervorragend in Verbindung mit einem Präsentationsprogramm wie PowerPoint) als komprimierte Datei verteilen.

Nachteile und Hindernisse von Lernpostern/Flipcharts

- Sind Ihre Gruppen größer als ca. 18 Personen, ist das Poster als Medium zur Vermittlung nicht mehr das ideale. Man kann davon ausgehen, dass der Sehabstand auch bei bester Schrift zu groß ist. Die Schrift ist einfach nicht mehr lesbar.

- Es ist tatsächlich wichtig, ein angemessenes Schriftbild zu entwickeln, sich also mit Schreibutensilien und der richtigen Stifthaltung auseinanderzusetzen. Hier macht die Übung zwar den Meister, aber mit ein paar Tipps (siehe nachfolgend) können Sie in relativ kurzer Zeit professionell wirkende Plakate erstellen. Ich habe diesen Aspekt unter die Hindernisse gesetzt, weil viele ihre unlesbare Schrift als einen der Haupthinderungsgründe ansehen, Plakate einzusetzen.

- Der wichtigste Tipp zum Thema leserlicher Schrift ist: Benutzen Sie Stifte mit einer Keilform, auch damit Sie in der richtigen Schriftstärke schreiben.

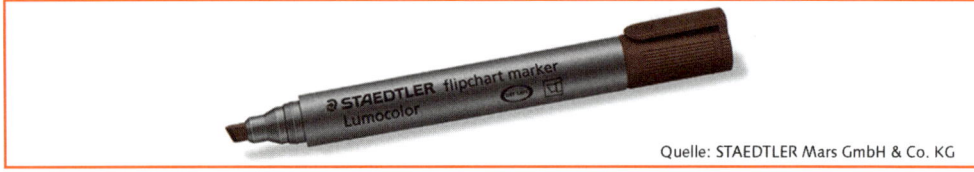

Quelle: STAEDTLER Mars GmbH & Co. KG

- Sind Sie noch ungeübt, nutzen Sie bei Bedarf Flipchartpapier mit Gitterlinien, um die angemessene Schriftgröße beizubehalten. Bitte schreiben Sie aber auf der weißen Seite, die Linien scheinen sichtbar durch. Dies macht das Schreiben einfacher. Wechseln Sie später zu weißem Flipchartpapier.
- Perforierungen an der Oberseite erleichtern das Abreißen der Blätter. Wenn Sie jedoch die Poster wiederverwenden möchten, ist es nicht nur besser, sondern unabdingbar, Papier ohne Perforierungen zu nutzen bzw. das Papier an der Perforierung mit Klebeband o.Ä. zu stärken.
- Entwerfen Sie Bilder und Diagramme zuerst auf einem DIN-A4-Papier, bevor Sie sie auf das Flipchart zeichnen. Zeichnen Sie schwierige Bilder mit einem feinen Bleistift vor, bevor Sie die Filzstifte benutzen. Mit einem Radiergummi sind so leicht Veränderungen möglich und man kann Abstände zwischen Bildelementen besser abschätzen.
- Verwenden Sie Satzfragmente, Schlüsselworte und Bilder, anstatt ganze Sätze niederzuschreiben (**wichtige Ausnahme:** Poster, mit denen sich Teilnehmer etwas selbst erarbeiten sollen bzw. die im Anschluss noch für andere Methoden verwendet werden sollen).
- Geben Sie jeder beschrifteten Seite eine Überschrift.
- Verwenden Sie Groß- und Kleinschreibung und Druckbuchstaben, diese ist leichter zu lesen.

Nicht ...	... sondern
GROSSBUCHSTABEN	Groß- und Kleinschreibung verwenden
(schwer lesbare) Handschrift	(annähernd) Druckschrift

- Verwenden Sie unterschiedliche Farben, aber nicht mehr als drei. Schwarz zählt dabei als Farbe nicht mit.

- Fehler können Sie verdecken, indem Sie diese mit einem kleinen Stück Flipchartpapier überkleben oder einen Korrekturstift verwenden.
- Überprüfen Sie zuvor, wie die Poster von jedem Teilnehmer im Raum gesehen werden können – insbesondere von denen, die in einem Stuhlkreis außen nah am Flipchartständer sitzen.

Das folgende Poster fasst wichtige Regeln zusammen. Diese werden Ihnen bald in „Fleisch und Blut" übergehen und es lohnt sich, das Beschriften von Postern zu üben, um problemlos ein einheitliches Schriftbild hinzubekommen. Auch wenn wir die Schule nicht gern als Referenz für das Seminargeschehen heranziehen – Sie erinnern sich an die Mühe, die Sie mit schlecht beschrifteten Tafeln hatten? Machen Sie es auf Ihren Postern besser!

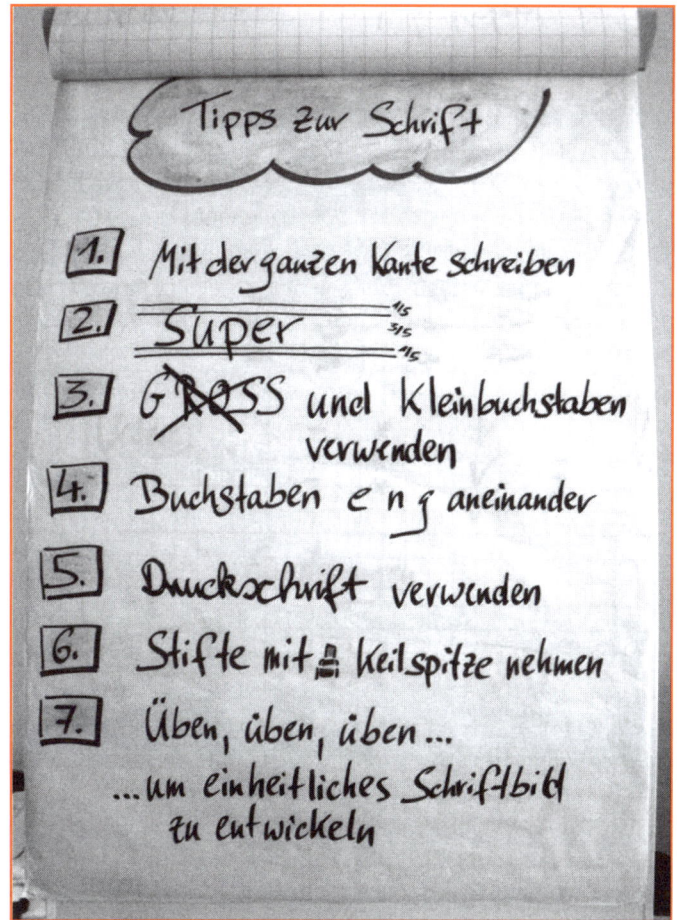

Zusammenstellung wichtiger Regeln für die Beschriftung

6.1.3 Pinnwand, Papier und Karten

Es mag spitzfindig klingen, aber Pinnwände allein machen außer als Raumteiler wenig Sinn. Im Zusammenhang mit Pinnnadeln können Sie jedoch unterschiedliche Papiermedien wie Poster, Karten oder auch flache Gegenstände daran befestigen bzw. befestigen lassen. Mit Papier bespannte Wände dienen als Fläche für größere Darstellungen wie Mindmaps, Bilder bzw. Abläufe. Außerdem gibt es spezielle Kleber, die es Ihnen ermöglichen, Karten auf dieses Papier zu kleben und nahezu ohne Rückstände wieder zu entfernen, und das quasi beliebig oft (siehe Tipps). Zu guter Letzt haben Pinnwände noch eine weitere gute Eigenschaft – Sie sind von einem Ort zum anderen transportierbar. Sie können so von Ihrem Trainerplatz aus etwas auf einer Pinnwand demonstrieren, die Wand dann entfernen und neu im Raum oder außerhalb positionieren, je nach Ziel. All dies macht den Einsatz von Pinnwänden sehr vielfältig und ich verzichte in keinem Seminar darauf.

Vorteile und Möglichkeiten von Pinnwänden

- Sie ermöglichen eine große Flexibilität bei der Visualisierung:
  - Die Kärtchen können immer wieder umgesteckt oder umgeklebt werden,
  - Plakate lassen sich daran gut sichtbar positionieren,
  - Wände können von hier nach dort getragen werden.
- Die Teilnehmer können selbst in Gruppen etwas an einer Pinnwand entwickeln oder schreiben oder von Wand zu Wand laufen und sich im Gespräch und im Stehen (!) über ein Thema informieren.
- Je nach Einsatzart können die Arbeitsergebnisse von einer Pinnwand eingesammelt (Karten) bzw. eingerollt (das Papier ggf. inklusive der darauf geklebten Karten) und aufgehoben werden.
- Viele Pinnwände sind relativ leicht, manche lassen sich zusammenklappen und können so auch weitere Wege transportiert werden.

Nachteile und Hindernisse von Pinnwänden

- Es sind Utensilien nötig, die es vorher ggf. zu organisieren gilt.
- Es gilt Ähnliches wie beim Poster am Flipchartständer: Wenn Sie die Pinnwand in einer großen Gruppe nur als Vermittlungsmedium vom Trainerplatz aus verwenden, wird der Sehabstand auch bei bester Schrift zu groß sein, um lesbar zu bleiben.
- Pinnwände sind relativ niedrig: Falls der Seminarraum leider nur das Sitzen der Teilnehmer in Reihen zulässt, können Sie nur den oberen Bereich der Wand verwenden. Sachen unterhalb sind schon ab der zweiten Reihe nicht mehr zu sehen.

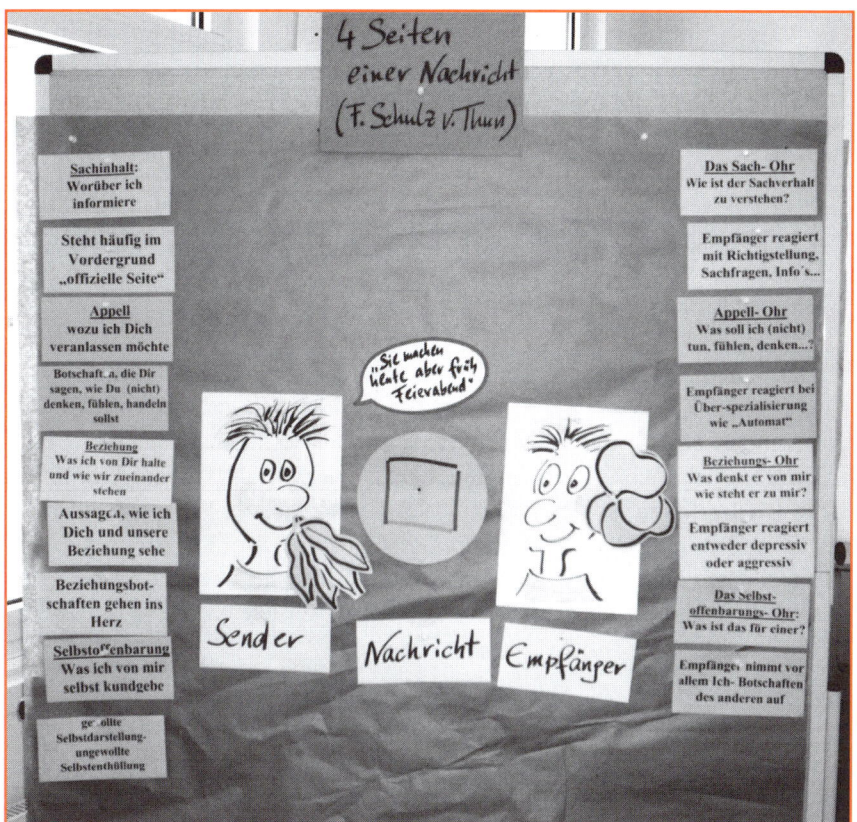

! **Tipps:**

- Festere Karten sind oft gar nicht so leicht zu durchstechen. Deshalb halten Sie sie mit einer Hand fest und „rammen" mit der anderen mit Schwung die Nadel durch Karte und Bespannung in die Pinnwand.
- Schreiben Sie auf den Kärtchen groß genug. Damit die Buchstaben noch aus sechs bis acht Metern lesbar sind, müssen sie mindestens 3 cm hoch sein.
- Auch hier gilt: Verwenden Sie lieber Druckschrift und Groß- und Kleinbuchstaben. Schreibschrift und reine Großbuchstaben sind schwerer zu lesen.
- Es gibt Klebestifte (z.B. „Scotch up"), mit denen die Karten immer wieder entfernt und neu angeklebt werden können. So kann man auch ohne Nadeln mit Karten auf mit Papier bespannten Wänden arbeiten und erspart sich die große Karten- und Nadelschlacht!
- Leider werden Pinnwände oft gezogen statt getragen – dies führt dazu, dass die Schrauben der Füße sich schnell lockern und die Wand keinen festen Stand mehr hat. Sorgen Sie selbst dafür, dass dies nicht so oft passiert, und bitten Sie Ihre Auftraggeber dafür zu sorgen, dass die Wände regelmäßig kontrolliert werden.

6.1.4 Lernkarten und Gegenstände

Wer bisher ohne den aktivierenden Ansatz Seminare gegeben hat, hat diese Art der Medien, nämlich Karten, die nicht durch ein Brainstorming mit den Teilnehmern entstanden sind, nur selten im Hinterkopf. Diese Art der „Lernkarten", wie ich sie einfach nenne, sind vorbereitet und dienen dazu, Wissen im Rahmen des Lernkreislaufes zu wiederholen und zu vertiefen. Das kann unterschiedlich arrangiert werden. Beliebt ist, es spielerisch zu tun und dabei verbreitete Gesellschaftsspiele nachzuempfinden, weil es den Vorteil hat, dass die Teilnehmer den Spielablauf und die Spielregeln kennen.

Die nachfolgende Darstellung zeigt als Beispiel Karten aus einem IT-Seminar, mit denen Funktionen zur Textverarbeitung Word erklärt werden sollen – wobei die aufgeführten Begriffe nicht benutzt werden dürfen. Das kommt Ihnen bekannt vor? Richtig – das kennen Sie vom Gesellschaftsspiel „Tabu". Man zieht eine Karte, muss den Begriff beschreiben und darf dazu die aufgeführten Wörter nicht benutzen. Was schon mit Alltagsbegriffen im Gesellschaftsspiel knifflig ist, erweist sich bei ernsthaften Aufgaben, die gut vorbereitet sind, als echte fachliche Herausforderung! Mehr dazu siehe im Kapitel 6.2.3 „Spielerisch Vertiefen".

BEISPIEL IT- ODER OFFICE-MANAGEMENT-SEMINAR:

KARTEN ZU WORD-FUNKTIONEN ZUM SPIEL NACH DEN REGELN „TABU"

AutoText	**Tabulator**
Textbaustein	linksbündig
ALT F3	rechtsbündig
F3	dezimal
Menü Einfügen	zentriert
gelb	Lineal

Autokorrektur	**Tabelle**
Extras	Reihe
automatisch	Spalte
richtig	Liste
falsch	Monatszeiten
ungefragt	Breite

Vorteile und Möglichkeiten von Lernkarten

- Lernkarten sind **das** Medium, wenn es darum geht, Wissen langfristig zu verankern! Die Teilnehmer überprüfen und festigen innerhalb der Lerngruppe mithilfe der Karten das zuvor erfahrene Wissen und können dies im Verlaufe des Seminars immer wieder mithilfe der Karten tun.

- Mit kleinen Veränderungen in der Aufgabenstellung steigern Sie den Schwierigkeitsgrad so, dass Sie die gleichen Karten für eine weitere Vertiefung am zweiten Seminartag noch mal verwenden können.

- Sie können Lernkarten über Jahre hinweg einsetzen, wenn sich die Seminarinhalte zu einem Thema nicht entscheidend verändern. Manchmal bedarf es auch nur einer kleinen Anpassung und die Karten sind wieder auf dem aktuellen Stand.

- Sie zeigen, dass Sie sich als Trainer Gedanken und Mühe gemacht haben, wie man das Seminarthema leicht und dennoch effektiv vermitteln und verankern kann.

- Lernkarten bringen als Nebeneffekt genau wie Plakate Farbe und Atmosphäre in den Seminaralltag.

- Sie lassen sich einfach und gut lesbar erstellen, auch ohne perfekte Handschrift, da man sie mit jedem aktuellen Drucker beschriften kann.

Nachteile und Hindernisse von Lernkarten

Ehrlich gesagt: Ich kenne keine Nachteile der Lernkarten, sehr wohl aber oft erwähnte Hindernisse: Man kommt nun mal nicht herum, sich gedanklich mit dem Einsatz dieser Methode auseinanderzusetzen und die Karten auch tatsächlich zu erstellen. Dann sollte man sie auch noch zum Seminar mitnehmen.

Sie lachen oder fühlen sich auf den Arm genommen? Diesen Aufwand diskutiere ich in nahezu jedem meiner Trainerseminare und komme immer wieder zu dem Schluss: Entweder man möchte auf diese Art arbeiten und erkennt den großen Nutzen oder man möchte es nicht. Es ist wie so oft eine Frage der Einstellung, ob ich bereit bin, für eine Sache etwas zu investieren.

! Tipps:

- Laminierte Karten sind noch haltbarer und zusätzlich gut abwaschbar. Die Mühe lohnt sich zumindest bei rechteckigen Karten, die Sie immer wieder verwenden möchten.
- Seien Sie vielfältig in der Wahl der Farben und Formen und achten Sie einzig darauf, dass diese harmonisch aufeinander abgestimmt sind.

- Je nach Stärke der Karten kleben Sie mitunter lieber zwei Karten aufeinander, nachdem Sie sie mit dem Drucker oder per Hand beschriftet haben. Dies macht sie stabiler, damit länger haltbar und für bestimmte Methoden ist es außerdem sinnvoll, damit die Beschriftung nicht auf der Rückseite durchscheint.
- Wenn Sie wie ich Stabilität mit optischen Details verbinden möchten, empfehle ich Ihnen den Tipp des Trainerkollegen Axel Rachow, seines Zeichens einer der Vorreiter in Sachen Visualisierung und Lernspiele in Trainings. Er rät dazu, zwei verschieden farbige Karten so übereinander zu kleben, dass die hintere der beiden sowohl unten als auch auf der rechten Seite leicht hervorscheint. Dies sieht aus wie ein kleiner Schatten der vorderen Karte – ein einfach erzeugter sehr schöner Effekt!

6.1.5 Musik

Bei Musik im Seminarverlauf scheiden sich unter den Teilnehmern in meinen Trainer-Seminaren oft die Geister. Dies liegt meinen Beobachtungen nach an zwei unterschiedlichen Erfahrungen, die Menschen mit Musik gemacht haben.

Die erste Erfahrung ist diese: Die meisten kennen es einfach nicht, dass Musik in einem Seminar läuft bzw. als Medium eingesetzt wird. Sie kennen es schon gar nicht aus einem Seminar, in dem fachliche oder sogar technische Inhalte vermittelt werden. Der Kontrast wirkt auf viele Menschen schlichtweg unpassend. Nach dem Motto *„Was der Bauer nicht kennt, das frisst er nicht"* sind Menschen oft erst einmal skeptisch bei Dingen, die sie nicht kennen und nicht einschätzen können. Insbesondere als Trainer möchte man sich vor den Teilnehmern nicht blamieren, bloßstellen oder erklären müssen und lässt deshalb erst einmal die Dinge weg, bei denen man dies befürchtet. Musik ist dabei das am meisten diskutierte „Befürchtungsthema" Nummer eins.

Die zweite Erfahrung hängt meiner Meinung nach mit Musik im Alltag zusammen: Wir alle haben sicherlich schon einmal in Einkaufszentren, Aufzügen oder Frühstücksräumen in Hotels Musik als Untermalung gehört und uns eine Meinung darüber gebildet. Manch einem gefällt die Musik, weil sie einfach für eine angenehme Atmosphäre sorgt, eine peinliche Stille verhindert und so dazu beträgt, dass wir uns besser fühlen. Andere stört die Musik allerdings, was mit unterschiedlichen Geschmäckern und dem Thema „Manipulation des Gemütszustandes" durch Musik zusammenhängt. Wenn wir mit Musik eher damit verbinden, dass man sie einsetzt, um Menschen durch gute Stimmung zu mehr Einkäufen zu bewegen, werden wir dem Thema sicherlich auch eher kritisch gegenüberstehen.

Wie passt Musik also in das Konzept der Suggestopädie – des ganzheitlichen Lernens und Lehrens?

Vorteile und Möglichkeiten von Musik

- Musik dient erst einmal als Separator („Pausierer") der einzelnen Seminarphase. Das heißt, mittels Musik zu Beginn, in den Pausen und am Ende des Lerntages wird den Teilnehmern der Übergang von und zu Arbeits-, Erholungs- und Ankommphasen akustisch signalisiert. Man könnte also fast sagen: Musik ist die sanftere Art der Schulglocke.

- Musik hilft in Seminaren eine angenehme Lernatmosphäre zu schaffen. Die Teilnehmer sollen sich ja insgesamt wohl fühlen und Musik kann ihren Teil dazu beitragen. Dies steht weder im Widerspruch dazu, trotzdem inhaltlich gefordert zu sein, noch sollen Teilnehmer damit „eingelullt" werden. Im eingelullten Zustand lässt sich nicht gut lernen, jedoch mit Wohlbefinden schon.

- Musik kann, wenn Sie sie gezielt auswählen, den unterschiedlichen Bedürfnissen der Teilnehmer an die Tageszeiten und damit ihren Leistungskurven entgegenkommen. So können Sie beispielsweise die Pausen nach der Mittagszeit eher schwungvoll begleiten, wohingegen Musik zum Tagesbeginn eher in einem mittleren Tempo angemessener ist. Sie wirkt dann nicht „aufdringlich lebendig".

- Im Laufe meiner Tätigkeit als Trainerin wurde mir ein weiterer wichtiger Effekt von Musik im Seminar bewusst: Sie hilft dabei, Hemmungen abzubauen bzw. in unangenehmen Situationen das Gesicht zu wahren. Das wird durch die folgenden Beispiele veranschaulicht – das erste bezieht sich auf ein IT-Seminar, lässt sich aber gewiss auf analoge Situationen in anderen Seminaren verallgemeinern.

BEISPIELE:

In einem IT-Seminar (z.B. zu Word) sollen Teilnehmer eine größere Übung am PC durchführen. Manchmal ist man sich ja trotz guter Erläuterungen (oder weil man unaufmerksam war) nicht ganz sicher, ob man die Aufgabe richtig verstanden hat. Komplette Stille im Raum erhöht die Chance, dass Sie weder den Trainer noch Ihren Nachbarn unmittelbar um Hilfe bitten, sondern lieber erst einmal „rumprobieren" und ggf. nicht von der Stelle kommen. Die Stille fühlt sich zusätzlich unangenehm an. Läuft jedoch leise Musik, ist diese Hemmschwelle viel weniger vorhanden, weil Gespräche angenehm darin untergehen.

Ich konnte außerdem beobachten, dass sich Teilnehmer, die sich in Gruppen über ein Thema austauschen sollen, ebenfalls nicht trauen, ummittelbar zu sprechen und ihre Stimmen im Raum erklingen zu lassen. Da ist allenfalls verhaltenes Flüstern zu hören, was nicht hilfreich für den Austausch ist. Läuft leise Musik, entwickeln sich rasch rege Gespräche, was sich auch positiv auf das Zeitkonto des Seminars auswirkt. Mit anderen Worten: Musik während einer Übungsphase ist für mich seit Jahren absolut hilfreich und selbstverständlich!

Nachteile und Hindernisse von Musik

➡ Auch hier fällt mir nur ein einziges Hindernis ein: die Organisation, Musik abspielen zu können. Nach meiner Erfahrung haben Kunden oft einen CD-Player zur Verfügung, den Sie nur vor Ihrem Seminar anfordern müssen. Auch ein USB-Stick mit tragbaren Boxen ist ausreichend und in vielen Haushalten vorhanden. Die passende Musik selbst besitzen Sie ggf. schon. Zur Auswahl folgen gleich Hinweise. Durchstöbern Sie einmal Ihren CD-Schrank oder den CD-Laden Ihres Vertrauens.

➡ Wichtig: Für das öffentliche Spielen von Musik, und Seminare sind in diesem Sinn öffentlich, fallen grundsätzlich GEMA-Gebühren an. Bezifferung, Anmeldung und Abrechnung können in diesem Buch nicht behandelt werden, sondern Informationen finden Sie auf www.gema.de unter dem Menüpunkt „Musiknutzer". Dort wird das Verfahren erklärt und man kann passende Tarife suchen, beispielsweise die Wiedergabe von Musik in Kursen. Der direkte Link ist etwas unhandlich: https://www.gema.de/fileadmin/user_upload/Musiknutzer/Tarife/Tarife_ad/tarif_wr_ks.pdf und deshalb nochmals auf der CD-ROM zu diesem Buch wiederholt. Eine Alternative, die Gebühren vermeidet, ist übrigens die Nutzung von Musik, die nicht von der GEMA vertreten wird („GEMA-freie" Musik) – was aber natürlich die Auswahl erheblich einschränkt.

Musikempfehlungen

Konkrete Musik-Titel-Empfehlungen mag ich Ihnen im Buch nicht geben, dazu sind die Geschmäcker zu verschieden. Auf der CD-ROM ist jedoch eine kleine Auswahl zusammengestellt, als Beispiel und Impuls. Diese Zusammenwstellung nennt auch die Phasen, in denen ich Musik für einsetzbar halte, und die Wirkung, die ich damit erreichen möchte.

Erwünschte Musikwirkung in den Phasen des Lernkreislaufes

Phase	Wirkung von ...	bis ...
Seminarbeginn	beruhigend	leicht belebend
Pausen	locker	(sehr) belebend
Übungsphase	beruhigend	leicht belebend, je nach Seminar auch schwungvoll
Seminarende	sehr belebend	
Lernkonzerte	entspannend	

6.2 Lernmethoden
„Wer am meisten sagt und tut, lernt auch am meisten"

Das Ergebnis von Seminaren und Trainings soll sein, dass Teilnehmer Wissen und Fähigkeiten erlangt haben, also ihre Kompetenzen erweitern. Dazu bedarf es Lernmethoden, die als Werkzeuge Menschen dabei unterstützen, effizienter zu lernen, als das ohne sie der Fall wäre. Da Lernen grundsätzlich eine angeborene Fähigkeit des Menschen ist, wird es durch Lernmethoden einfacher, leichter. Jede Lernmethode hat ein allgemeines Ziel: Sie soll immer einen Lernprozess initiieren, in dem Menschen motiviert sind, sich umfangreich und intensiv mit dem Lerninhalt zu befassen.

LERNMETHODEN SOLLTEN DEN UNTERSCHIEDLICHEN LERNTYPEN ENTSPRECHEN – ALSO AUS DEN ZUTATEN DES SAVI-MODELLS AUS DEM AL BESTEHEN (SIEHE KAPITEL 2.3).

Selbstverständlich basieren erfolgreiche Lernmethoden auf den Erkenntnissen der Lernpsychologie und der Pädagogischen Psychologie sowie auf denen der Gehirnforschung.

Die nun folgenden Methoden sind allesamt von mir erprobt und haben das Urteil „erfolgreich, vergnüglich und anregend" erhalten! ☺☺☺

6.2.1 Morgenrunden

Morgenrunden nenne ich alle Methoden oder Aktivitäten, mit denen man einen **Seminartag beginnen** kann (bzw. das Seminar an sich – einige Methoden, z.B. das Partnerinterview, wird man nur ganz zu Beginn nutzen).

Diese Methoden haben je nach Seminarthema, (Berufs-)Gruppe oder Erfahrung der Teilnehmer unterschiedliche Ziele. Drei Ziele gelten dabei jedoch für alle Morgenrunden:

1. (Rede-)Hemmungen abbauen
2. Etwas voneinander erfahren
3. Vertrauen zueinander gewinnen

Ein *viertes Ziel* dient insbesondere Ihnen als Trainer: Sie bekommen „ein Gefühl" für die Gruppe. In dieser ersten Runde erfahren Sie vieles über die Persönlichkeiten Ihrer Teilnehmer, ihren Gründen anwesend zu sein, ihren grundsätzlichen Handlungsmotiven, den einzelnen Stimmungen und der Stimmung der Gruppe als einer ganzen „Gestalt".

6.2.1.1 Partnerinterview

Mit ungewöhnlichen Fragen in Kontakt kommen und mehr über sich kennen lernen und das Üben freier Rede.

Ziele:
Als erste Redeübung bei Rhetorik- oder Kommunikationsthemen hilft es dem Trainer bei der Ersteinschätzung der Teilnehmer.

Die Teilnehmer üben
- frei zu sprechen,
- auf den Punkt zu sprechen (zwei Minuten),
- Wichtiges von Unwichtigem zu trennen.

Alle erfahren neue Dinge von schon bekannten Kollegen und reduzieren den blinden Fleck. Dies schafft mehr Vertrauen zueinander.

Dauer:
Nach Anzahl der Fragen:
- 7 Minuten Interview,
- 2 Minuten Vorstellung pro Teilnehmer.

6.2.1.2 Reihenfolgen stellen
Aktiv in Kontakt kommen und sich kennen lernen, indem die Teilnehmer sich in Eigenregie nach unterschiedlichen Kriterien in einer konkreten Reihenfolge „sortieren".

ABLAUF „REIHENFOLGEN STELLEN": WER MACHT WAS MIT WEM?

- Der Trainer hat sich zuvor zur Seminargruppe passende Kriterien überlegt, die ihm und der Gruppe relevante Informationen voneinander verraten.

- Er bittet die Teilnehmer aufzustehen und nennt ihnen das Kriterium, nach dem sie sich in der ersten Runde aufstellen möchten, etwa so: *„Sie stehen zu Beginn in einer zufällig zustande gekommenen Reihenfolge, so, wie Sie Platz genommen hatten. Nun möchte ich Sie bitten, sich besser kennen zu lernen, indem Sie sich nach bestimmten Kriterien aufstellen. Fangen wir einmal hiermit an: Bitte stellen Sie sich alphabethisch nach Ihren Vornamen auf und entscheiden Sie selbst, wie Sie diese Aufgabe organisieren"*…

- **Kommentar**: Indem sich der Trainer aus der Organisation heraushält und die Teilnehmer entscheiden, wo die Reihe mit beginnt und wo sie endet, kommen die Teilnehmer ins Gespräch und beginnen, sich zu beschnuppern. Der Trainer kann derweilen einen Blick auf die Organisation werfen und erste Eindrücke sammeln, wie sich die Teilnehmer organisieren.

- Nun beginnen die Teilnehmer, sich entsprechend aufzustellen, was je nach Gruppe und Persönlichkeiten mal schneller, mal langsamer abläuft. Der Trainer sortiert sich anschließend in die Reihe entsprechend seinem Vornamen ein und jeder nennt seinen noch einmal laut, z.B. beginnend vom Buchstaben A.

- Diese erste Runde dient dem Verständnis der Methode, die Reihe löst sich wieder auf und der Trainer nennt ein weiteres Kriterium, nach dem sich die Teilnehmer aufstellen sollen.

  Beispiele: Nach Anfangsbuchstaben des Amtes, in dem Mitarbeiter einer Stadt tätig sind, nach ungefähren Anfahrtskilometern, nach Lieblingsfreizeitbeschäftigung, nach Länge der Firmenzugehörigkeit, nach Anzahl der Weiterbildungen in den letzten zwei Jahren oder das Zusammenfinden in Gruppen nach „Weihnachtsmarkt-Mögern" und „Weihnachtsmarkt-Hassern" … etc. Je nach Sensibilität in der Gruppe suchen Sie unverfängliche Beispiele (und lassen nicht etwa nach Gehalt aufstellen …).

  Die Reihenfolge wird am Ende immer laut ausgesprochen und ggf. vom Trainer kommentiert.

- Nach etwa vier bis fünf Kriterien nehmen alle wieder Platz und der Seminartag geht weiter mit der Vorstellung der Themen oder anderen geplanten Punkten.

Ziele:

Die Teilnehmer kommen aktiv (im Stehen und in Bewegung) in den Tag und empfinden so eine anschließende Phase im Sitzen als angenehmer.

Durch die unverfänglichen Kriterien kommen alle leicht in Kontakt, jeder wechselt während der Runde ein paar Worte miteinander und vor allem haben alle schon zu Beginn miteinander gelacht. Jeder kann etwas voneinander erfahren, ohne abgefragt worden zu sein.

Der Trainer wird durch das Einsortieren immer wieder Teil der Gruppe und setzt Signale für sein Rollenverständnis als Trainer. Man zeigt sich mit der Methode in Teilen als Privatperson, ohne die Rolle zu verlassen. Das stärkt das Vertrauen zueinander, was insbesondere bei „heikleren" Seminarthemen unabdingbar ist.

Der Trainer erfährt – durch die Beobachtung der Körpersprache und Stimme – „ganz nebenbei" viel Hilfreiches über die Persönlichkeit seiner Teilnehmer.

Dauer:

ca. 15 Minuten

6.2.1.3 Geschichte vorlesen

Ins Thema einsteigen mittels emotionaler Botschaften.

ABLAUF „GESCHICHTE VORLESEN": WER MACHT WAS MIT WEM?

Der Trainer liest zu Beginn des Seminars eine Geschichte vor, die er anschließend nicht erklärt. Er kommentiert sie als den „Einstieg ins Seminarthema" und schließt daran eine Aufgabe oder eine andere Morgenrunde zum Kennenlernen an.

Hinweis:

Beachten Sie unbedingt die Kernbotschaft der Geschichte, die einen klaren Zusammenhang zum Seminarthema haben sollte!

Manche Geschichten haben allgemeine Botschaften („Jeder macht seine Sache so gut er kann", „Man darf Fehler machen", „Kommunikation ist nicht eindeutig" etc.). Andere Geschichten passen konkret zum Seminarthema („Setze dir klare Lebensziele", „Glaubenssätze beeinflussen mein Handeln", „Wenn du deine Wahrnehmung schärfst, erfährst du mehr von deinem Gegenüber" etc.).

Ziele:

- Mittels Geschichten werden Botschaften transportiert, die ansonsten oft nur mit vielen Worten und Begründungen vermittelt werden können.

- Sie erreichen die Teilnehmer mit den Metaphern der Geschichten schnell auf einer tieferen Ebene.
- Sie setzen einen „sensorischen Anker" für den Tag, mit dem sich alle einstimmen und an den sich alle erinnern können.

Geschichten für Seminare finden Sie umfangreich im Internet. Wenn Sie lernen möchten, eine Geschichte selbst zu entwickeln, gebe ich Ihnen den Tipp, sich mit dem so genannten „Storytelling" zu befassen. Seminare und Bücher dazu finden Sie ebenfalls im Internet und es gibt zu diesem Thema natürlich auch Seminare.

Dauer:
je nach Länge der Geschichte fünf bis zehn Minuten

6.2.1.4 Leitfragen beantworten
Schriftliches Kennenlernen schon vor Seminarbeginn.

ABLAUF „LEITFRAGEN BEANTWORTEN": WER MACHT WAS MIT WEM?

- Vor Seminarbeginn bereitet der Trainer eine Pinnwand mit Papier vor und beschriftet sie mit Leitfragen. Teilnehmer, die den Seminarraum betreten, schreiben noch vor Seminarbeginn ihre Antworten zu den Fragen direkt auf das Papier.
- Fragenbeispiele: *Name, Typisch für mich ..., Hier weil ..., Ich mag nicht...*
- Die Wand wird im Anschluss als Einstieg zur Vorstellung aller genutzt. Jeder erzählt abwechselnd etwas zu sich, das er nun nicht mehr spontan abrufen muss, sondern schon zuvor in Ruhe überlegt hat.

Ziele:
- Sie erhalten Informationen in kurzer Zeit außerhalb der Seminarzeit.
- Sie laden die Teilnehmer zur Auseinandersetzung mit ihren Vorstellungen, Persönlichkeitsmerkmalen etc. ein.
- Sie begleiten die Teilnehmer damit in den Lernprozess und übergeben ihnen Verantwortung für ihr Lernen.

Dauer:
ca. 15 Minuten, je nach Gruppengröße

6.2.1.5 Kennenlern-Memory
Mittels Fragen aus der Seminargruppe in Kontakt kommen und Neues voneinander kennen lernen.

- Jeder Teilnehmer erhält zwei Karten und notiert auf eine der beiden seinen Namen, auf die andere eine Frage, die er einem Teilnehmer stellen könnte. Beispiele: *Was soll hier nicht passieren?, Welche Moderationserfahrungen haben Sie?, Wann läuft Ihnen die Zeit weg?, Woran erkennen Sie ein gescheitertes Gespräch?* etc., je nach Thema.

- Der Trainer sammelt die Karten ein und legt sie zu je einem Stapel in die Mitte.

- Ein Teilnehmer beginnt und zieht je eine Karte aus einem Stapel aus der Mitte und stellt der gezogenen Person die gezogene Frage. Ggf. wird die Frage oder Antwort noch weiter vom Trainer und den Teilnehmern kommentiert.

- Dies geschieht reihum, bis alle Karten gelesen wurden und jeder eine Frage beantwortet hat.

Ziele:
- Durch die vielfältigen Fragen erfahren alle sehr viel voneinander, dies ist nicht nur in den Softskill-Seminaren zu Beginn äußerst hilfreich und vertrauensfördernd.
- Alle erfahren in der Regel auch neue Dinge, damit lernen sich auch schon bekannte Kolleginnen und Kollegen noch mal (neu) kennen und reduzieren den blinden Fleck. Dies schafft mehr Vertrauen für den folgenden Seminarprozess.
- Die Methode kann auch als Einstieg zum Thema „Persönlichkeit" im Allgemeinen oder Umgang mit schwierigen Seminar- oder Kundensituationen genutzt werden.

Dauer:
ca. 30 Minuten, je nach Gruppengröße

6.2.1.6 Traumberuf und Lieblingsessen
In Bewegung miteinander eine Lüge aufdecken und daran Neues voneinander kennen lernen.

ABLAUF „TRAUMBERUF": WER MACHT WAS MIT WEM?

Sie benötigen pro Teilnehmer je eine Karte (idealerweise groß und rund), je einen Moderationsmarker und eine Rolle Kreppband (leicht ablösbar).

- Jeder Teilnehmer erhält eine Karte und einen Moderationsmarker und teilt die Karte mit einem waagerechten Strich in eine obere und eine untere Hälfte. Auf der oberen notiert jeder seinen Traumberuf und unterhalb sein Lieblingsessen, aber eines von beidem muss gelogen sein!

- Nun klebt jeder mittels Kreppband (und mithilfe eines anderen Teilnehmers) seine Karte auf seinen Rücken und alle beginnen im Raum umherzulaufen. Währenddessen liest jeder die Karte der anderen und macht mit dem Moderationsmarker **dort** auf der Karte einen Strich, wo er die Lüge vermutet. Dies geschieht so lange, bis jeder Teilnehmer auf jeder Karte je einen „Lügen-Strich" gemacht hat.

- Anschließend nehmen alle wieder Platz und es beginnt die eigentliche Vorstellungsrunde, die vom Trainer moderiert wird. Jeder beginnt zunächst damit, die Lüge aufzudecken und zu erklären, warum er gerade diesen Berufswunsch hatte oder eben auch nicht. Analog wird mit dem Lieblingsessen verfahren.

- Dann kann die klassische Vorstellung bezüglich eigener Seminarziele und anderer relevanter Fragen folgen, bis alle an der Reihe waren.

Ziele:

- Neues voneinander erfahren, bekannte Personen im anderen Licht sehen, zum Beispiel durch das Aufdecken des eigentlichen Traumberufes.
- Interesse aneinander wecken.
- Lebhaft in den Seminartag starten – dieses sowohl körperlich als auch auf der Gesprächsebene.
- Motivation für das Seminarthema fördern.
- Die Neugier der Teilnehmer durch einen unüblichen Seminarbeginn wecken und auf weitere Methoden dieser Art vorbereiten.

Dauer:

Ca. 10 Minuten „Lügen erraten" und ca. 20 Minuten Vorstellung, je nach Gruppengröße.

6.2.1.7 Fantasiereise/Centering

Einen Seminartag entspannt und konzentriert beginnen.

ABLAUF „FANTASIEREISE": WER MACHT WAS MIT WEM?

Sie benötigen einen Text, mit dem Sie die Teilnehmer auf eine mentale Reise schicken können, und die dazu passende Musik.

- Mit der so genannten Fantasiereise begleiten Sie die Teilnehmer beispielsweise auf eine kleine Tour in die Berge oder ans Meer o.Ä. Diese Texte können selbst geschrieben oder aus dem Fundus „fertiger" Fantasiereisen kommen, die es zu kaufen gibt (siehe Literaturliste).

- Wenn Sie die Teilnehmer auf ein bestimmtes Thema einstimmen möchten, können Sie einen selbst geschriebenen Text sprechen, der die Teilnehmer auf das Thema fokussiert, sie in eine bestimmte Stimmung oder einen konkreten „Zustand" versetzen soll.

- Die Teilnehmer sitzen im Stuhlkreis, haben eine bequeme Sitzposition eingenommen und schließen, wenn möglich, die Augen. Der Trainer spricht nun zu entspannender Musik (siehe Kapitel 6.1.5) einen vorbereiteten Text und holt sie am Ende sanft wieder aus der Entspannung heraus.

- Bei Bedarf kann eine Feedbackrunde zur Methode oder eine inhaltliche Auswertung folgen.

- **Tipps**: Testen Sie die passende Musik-Lautstärke zuvor, sie variiert je nach Raum, Musik und Abspielgerät. Blenden Sie außerdem die Musik am Ende langsam aus.

Ziele:
- Entspanntes Ankommen im Seminartag.
- Gezielte Vorbereitung / mentale Einstimmung auf ein Thema.

Dauer:
ca. 10 bis 15 Minuten, je nach Textlänge

6.2.2 Aktivierend Wissen vermitteln

Die Wissensvermittlung kann meiner Erfahrung nach gut im Wechsel auf zwei unterschiedlichen Wegen geschehen:

1. Der Trainer vermittelt nach der Motivation das Wissen zunächst mittels Medien wie Postern, Karten, Gegenständen und Beamer. Dabei sollten Sie sich unbedingt an den angemessenen Zeitrahmen von maximal 15 bis 20 Minuten (pro Seminarabschnitt) halten. Es gibt Themen, bei denen ich mich eindeutig für diese Art entscheide. Ich tue dies immer, wenn ich das Thema für die Gruppe als besonders wichtig, komplett neu oder besonders schwierig anzunehmen bzw. zu akzeptieren einstufe. Meistens ist es eine Kombination aus allen drei Aspekten. So habe ich die Akzeptanz und das Verständnis des Themas seitens der Teilnehmer besser in der Hand und kann den Lernprozess klarer steuern, als dies beim Selbsterarbeiten der Fall ist.

2. Die Teilnehmer können sich Wissen – wie gerade schon angedeutet – auch selbst erarbeiten. Voraussetzung sind zum einen Themen, bei denen Sie relativ wenig Widerstand oder Irritation vermuten, und zum anderen eine gute Vor- und Aufbereitung der Informationen, die die Teilnehmer nutzen sollen.

Die aufgeführten Methoden sind Beispiele für dieses selbstständige Lernen und Alternativen zur frontalen Vermittlung durch den Trainer.

6.2.2.1 Partnerlernen

In Kleingruppen aktiv neue Themen erarbeiten.

BEMERKENSWERTE METHODEN UND MEDIEN

Lernmethoden

ABLAUF „PARTNERLERNEN": WER MACHT WAS MIT WEM?

Sie benötigen je zwei unterschiedliche Arbeitsblätter (in der Menge Ihrer Teilnehmerzahl kopiert), auf denen Sie zwei Lerninhalte Ihres Seminars so aufbereitet haben, dass Teilnehmer sich diese auf diesem Weg selbst erarbeiten können. Ideal ist, wenn die Lerninhalte grundsätzlich zu einem gemeinsamen Oberthema gehören, das Sie mittels dieser Methode vermitteln möchten.

Ein Beispiel aus dem Bereich IT-Seminare – hier im Speziellen Word

Sie möchten allgemeine Arbeitstechniken erarbeiten und haben auf dem einen Blatt Tasten zum unterschiedlichen Markieren von Text und auf dem anderen Tasten zum Bewegen im Text abgebildet.

- Teilen Sie die Teilnehmer in zwei Gruppen auf. Jeder Teilnehmer einer Gruppe erhält ein Arbeitsblatt zu einem Thema.

- Nun bilden **die** Teilnehmer, die in den jeweiligen Gruppen nebeneinander sitzen, Paare und werden aufgefordert, zusammenzuarbeiten. Dies ist deshalb wichtig, weil ansonsten jeder für sich arbeitet, was hier nicht sinnvoll ist. Bei ungerader Teilnehmerzahl können sich auch Dreiergruppen ergeben.

- In jeder Gruppe erarbeiten sich zunächst jeweils die Paare das Thema. Unterstützen Sie als Trainer bei Bedarf, halten Sie sich jedoch so gut es geht zurück.

- Teilen Sie gegen Ende die restlichen Arbeitsblätter so aus, dass jeder nun auch das Blatt der jeweils anderen Gruppe am Platz liegen hat.

- Wenn alle so weit sind, bilden Sie neue Paare, die aus je einem Teilnehmer der einen und einem der anderen Gruppe bestehen, sodass immer zwei Teilnehmer aus beiden Gruppen zusammensitzen. Dies ist mitunter mit ein wenig Rücken der Stühle und Durch-den-Raum-Laufen verbunden, was hier ausdrücklich erwünscht ist! Nun erklärt jeder dem anderen Partner abwechselnd, was er gelernt hat, und beide probieren die neuen Fertigkeiten zusammen aus (z.B. am PC).

- Wenn die Teilnehmer fertig sind, fassen Sie als Trainer noch einmal alles kurz an zwei fertigen oder spontan erstellten Postern zusammen und klären bei Bedarf offene Fragen.

- Als Variation oder Ergänzung ist auch vorstellbar, dass die Teilnehmer im Anschluss ein Lernposter erstellen, mithilfe dessen sie das, was sie soeben kennen gelernt haben, dem Rest der Gruppe vorstellen. Dabei kommt es nicht auf die Optik an, es sei denn, „Visualisierung" ist zugleich Thema des Seminars.

Ziele:
- Neues kennen lernen, ohne dies frontal vermittelt zu bekommen.
- Raum für selbstständiges Lernen geben und auf dem Vorwissen der Teilnehmer aufbauen.
- Die Teilnehmer wach und neugierig halten, statt sie einzuschläfern.
- Die Teilnehmer in den Lernprozess aktiv einbeziehen und ihnen so Stück für Stück die Lernverantwortung übertragen.
- Unsicherheit und Konkurrenz verhindern und Wertschätzung beim Lernen etablieren.

Dauer:
Je nach Aufgabe insgesamt 20 bis 45 Minuten inklusive Ihrer Zusammenfassung.

Variation:
Das beschriebene Vorgehen ist auch für das Gruppenlernen recht gut geeignet. Teilen Sie dazu die Teilnehmer in Gruppen zu maximal 4 Personen ein und stellen Sie ihnen Material (Poster, Arbeitsblätter, Gegenstände) zu einem Teilaspekt des neuen Seminarthemas zur Verfügung. Dieses sollte so bemessen und aufbereitet sein, dass man den Teilaspekt innerhalb von 30 Minuten erarbeiten kann. Das heißt, dass Sie das Gesamtthema in „machbare" Teilschritte gliedern und nicht zu viel in einen Abschnitt bringen. Anfänger haben eine Tendenz zur stofflichen Überfrachtung, aber mit etwas Erfahrung pendelt man sich auf das richtige Maß ein.
Aufgabe ist es, den anderen Teilnehmern anschließend das Thema auf beliebige Art so vorzustellen, dass jeder nachvollzieht und versteht, womit sich die Gruppe jeweils beschäftigt hat.

Aus allen Themen sollte sich am Ende ein Gesamtbild ergeben, das beispielsweise durch Kommentare des Trainers abgerundet wird.

6.2.2.2 Piazza („Zirkeltraining")
Aktiv und in Kleingruppen mehrere neue Themen erarbeiten. Das ist eine gute und bewährteAlternative zur frontalen Vermittlung inklusive erheblicher Zeitersparnis. Die Piazza eignet sich hervorragend als intensiver Einstieg ins Seminarthema nach einer Morgenrunde.

ABLAUF „PIAZZA": WER MACHT WAS MIT WEM?

Mittels der Piazza lernen Teilnehmer nahezu ohne aktives Zutun des Trainers eine größere Menge an Information kennen und verstehen, indem sie sich in Kleingruppen die Einzelthemen anhand von fertigen Postern, Arbeitsblättern, Karten, Gegenständen und Gesprächen darüber selbst erarbeiten.

Aufbau der Methode:

- Ein größeres Thema wird in drei bis vier Unterthemen aufgeteilt. Jedes Thema ist prinzipiell in sich geschlossen, hat aber Bezug zu den anderen Themen der Piazza.
- Jedes Unterthema wird später an einer so genannten „Station" aufgebaut – bestehend aus Tisch, Material, Postern und einer Pinnwand, auf der auch eine Infokarte mit der Stationsüberschrift und einer Arbeitsanweisung gepinnt ist.
- Die Stationen werden an unterschiedlichen Stellen im Seminarraum, im Flur, in anderen Aufenthaltsbereichen oder Räumen Ihres Seminarortes aufgebaut. Ziel ist es, dass sich die Teilnehmer in Gruppen an den Stationen verteilen, dort parallel eine gewisse Zeit arbeiten, um anschließend zur nächsten Station zu wechseln, bis jede Gruppe an allen Stationen gearbeitet hat. Am Rande: Ein solches „Lernen an Stationen" ist erstmals vor mehr als 50 Jahren entwickelt worden und hat sich auch in der schulischen Pädagogik durchgesetzt. In der allgemein-didaktischen Literatur findet man dazu Begründungen und weitere Anregungen.

Vorbereitungen:

- Erstellen Sie Poster, auf denen die relevanten Informationen zu jedem Unterthema für Ihre Teilnehmer stehen. Pro Unterthema eignen sich drei bis vier Poster. Ein Beispiel für ein visualisiertes Poster zeigt die Abbildung auf der folgenden Seite.
- Stellen Sie außerdem Material und Gegenstände zusammen, die – wenn man sich damit aktiv befasst – das Verständnis für das Thema fördern.
- Erstellen Sie ja nach Bedarf weitere Lernaktivitäten, bestehend aus Karten, Gegenständen, Postern, die zusammengetragen aktivierendes Lernen ermöglichen. Lassen Sie Ihre Teilnehmer gemeinsame Erfahrungen machen.
- Erstellen Sie Arbeitsblätter zum jeweiligen Unterthema, die die Teilnehmer zur weiteren Information, als Einzel- oder Partnerarbeiten verwenden und ausfüllen können.
- Bedrucken oder beschriften Sie DIN-A4-Karten, auf denen die Überschriften bzw. Unterthemen der Stationen und konkrete Arbeitsanweisungen stehen. Beschriften Sie auch kleinere Karten, die Sie später zu den Stapeln der Arbeitsblätter legen, mit konkreten Arbeitsaufträgen („Was soll hier mit wem wie gemacht werden?").

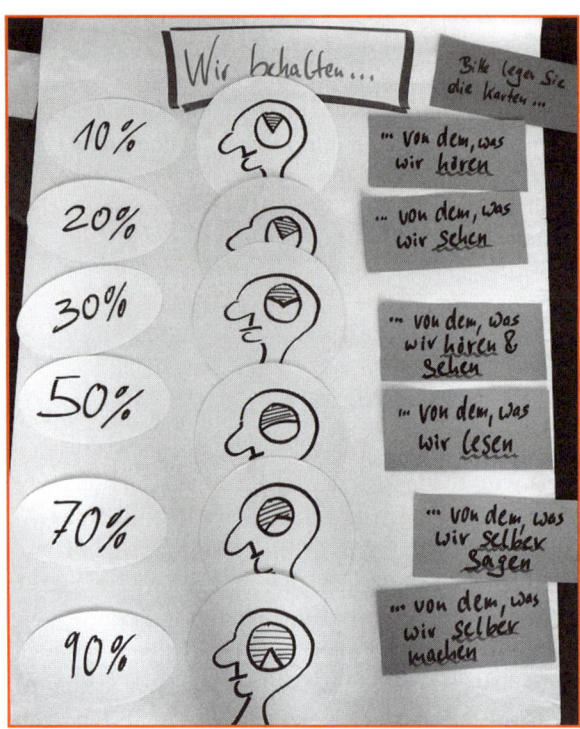

Beispiel für ein Poster mit Karten als Informationsinput einer Piazza

- Bauen Sie die Stationen mit allen Materialien am Seminartag in Ruhe auf, immer bevor die Teilnehmer ankommen. Planen Sie dafür ca. 45 Minuten bis eine Stunde ein, um konzentriert und entspannt aufbauen und notwendige Arbeitsblätter kopieren zu können!
- Der Aufwand lohnt sich: Die gesamte Gruppe ist aktiv, lernt sehr viel in kurzer Zeit, während der Trainer nur die Aufsicht über den Ablauf hat.

Konkrete Durchführung:
- Beachten Sie zunächst die Anzahl der Teilnehmer. Sie gibt vor, wie viele Stationen Ihre Piazza mindestens haben sollte: Die Gruppengröße sollte 4 Teilnehmer nicht überschreiten, damit die Gruppe arbeitsfähig bleibt und sich keiner aus dem Gespräch ausklingt – ideal sind 2 bis 3 Teilnehmer.
  Falls Sie, wie ich des Öfteren, Gruppengrößen von 16 Personen haben, benötigen Sie also mindestens vier Stationen, damit die Gesamtgruppe parallel beschäftigt ist.
- Bei sehr großen Gruppen ist es sinnvoll, eine „Wartezone" einzurichten, falls eine Gruppe an einer Station länger benötigt als die anderen.
  Konkret besteht eine Wartezone also aus einer Pinnwand, auf der die Teilnehmer schriftlich Gedanken zu einer Fragestellung austauschen können, oder einem

Tisch, auf dem sie ein Spiel, eine Partnerarbeit o.Ä. ausprobieren können – je nach Thema.

- Erklären Sie zu Beginn die Methode und ihren Sinn, sich aktiv und selbstständig Wissen anzueignen. Erklären Sie, dass jede Gruppe einmal an jeder Station gewesen sein sollte und der Stationswechsel am besten im Uhrzeigersinn erfolgt. So behält jeder gut den Überblick, insbesondere bei drei Stationen und drei Gruppen.
- Erwähnen Sie außerdem unbedingt, dass jede Gruppe pro Station mindestens 15 Minuten Zeit benötigt! Ohne den Zeithinweis ist die Gefahr groß, dass die Teilnehmer möglichst schnell fertig werden wollen. Sie benötigen aber den genauen Zeitrahmen der gesamten Piazza, um sich auf die Methode entspannt einlassen zu können.
- Erwähnen Sie des Weiteren, dass es hilfreich ist, sich die Arbeitsanweisungen und die Poster an den Stationen unbedingt gegenseitig **laut vorzulesen**. Wenn drei Teilnehmer stumm an einer Pinnwand stehen und jeder für sich liest, kann kein aktives Lernen und Verstehen aufkommen. Ich führe diesen Effekt zunächst etwas humorvoll vor und breche so das Eis für die ungewöhnliche Art des Vorgehens. Außerdem schreibe ich diesen Hinweis auch immer noch einmal auf die Infokarten der Stationen.

  Hinweis: Nicht nur bei diesem Vorlesen, sondern auch durch die Gruppendiskussion entwickelt sich eine gewisse Lautstärke an der Station. Das ist der wesentliche Grund dafür, dass die Stationen – wie oben beschrieben – räumlich entzerrt angeordnet werden müssen. Dieser Raumbedarf ist bei der Seminarplanung unbedingt zu bedenken und anzumelden.
- Teilen Sie die Teilnehmer also in Gruppen ein, und zwar so, dass möglichst noch nicht bekannte Teilnehmer zusammenkommen. Bitten Sie die Gruppen, sich an den Stationen zu verteilen, sich zu informieren und ins Gespräch und ans Tun zu kommen. Begleiten Sie beim ersten Mal jede Gruppe noch einmal an der Station und überprüfen Sie, ob jeder weiß, wie die Piazza abläuft.
- Halten Sie sich insgesamt so gut es geht aus dem Prozess zurück. Dies ist die Phase, in der sich der Trainer entspannt und nur den Gesamtüberblick im Auge hat. Beachten Sie den Zeitrahmen, bewegen Sie die Gruppen ggf. zum Stationswechsel, wenn Sie feststellen, dass diese in Privatgespräche verfallen.
- Versammeln Sie die Gruppen anschließend im Plenum im Seminarraum und schließen Sie eine kurze Pause an die Piazza. Kündigen Sie jedoch an, dass anschließend die Piazza-Inhalte noch einmal locker vertieft werden, beispielsweise mit einem Memory oder einer anderen Methode (siehe Kapitel 6.2.3 „Spielerisch Vertiefen").

Ziele:
- Die Piazza ist aktivierendes Lernen in Reinkultur – jeder setzt sich mit dem Lernstoff zusammen mit anderen Teilnehmern unter Beteiligung vieler Sinne auseinander.

- Da ich die Piazza gerne in der ersten Hälfte des ersten Seminartages einsetze, fördert sie auch intensiv das Kennenlernen und den Kontakt der Teilnehmer untereinander.
- Sie setzt kinästhetische Anker, die den Teilnehmern helfen, das Wissen langfristig abzuspeichern (*„Ich erinnere mich – das war an der Station draußen im Flur"*).
- Die Piazza ist eine *Ermutigungsmethode*. Sie mutet und traut den Teilnehmern zu, selbstständig zu lernen, Verbindungen zu schaffen, Ideen zu entwickeln – also insgesamt selbst die Verantwortung für ihr Lernen zu tragen.

Dauer:

5 Minuten Einführung in die Methode und ca. 15 bis 20 Minuten pro Station.

6.2.3 Spielerisch Vertiefen

Wissen und Erkenntnisse, die langfristig zur Verfügung stehen sollen, müssen zuvor wirklich verstanden worden und auf einer tieferen Ebene angekommen sein. Jeder Teilnehmer muss sich dazu häufiger, auf unterschiedliche Art und mit möglichst vielen Sinnen mit dem „Lernstoff" befassen. In der Phase der Vertiefung des didaktischen Lernkreislaufes werden diese Erkenntnisse gebündelt umgesetzt.

6.2.3.1 Brettspiel

> Exemplarisch wird ein selbst entwickeltes Spiel vorgestellt – als klassische Mischung aus „Mensch ärgere dich nicht", „Monopoly" und anderen Brettspielen. Es eignet sich auch gut, um es über mehrere Tage hinweg jeweils am Ende des Tages zu spielen.
>
> Zum Spiel wird eine „Bauanleitung" gegeben, deren konkrete Umsetzung Ihre Fantasie erfordert. Anleitungen für weitere, ähnliche Spiele finden Sie bekanntlich reichlich in der Trainerfachliteratur. Mein Rat: Holen Sie sich dort gern bei Bedarf „Rezepte", aber „kochen" Sie dann selbst. Der Reiz eines solch einfachen und selbst gebauten Spiels wie das hier vorgestellte liegt natürlich darin, dass es leicht zu spielen ist (weil die Regeln bekannter Spiele genutzt werden) und dass Sie es inhaltlich genau an Ihr Seminar anpassen können.

Sie benötigen:

- ein selbst erstelltes Set von Karten mit Fragen zum Thema,
- ein selbst erstelltes Set so genannter Ereigniskarten (Beispiele: Joker, einmal aussetzen, zwei Felder vorrücken, Glücksfrage etc.),
- mehrere Spielfiguren,
- Zwei Würfel,
- einen Spielplan.

Der Spielplan ist entweder selbst gebastelt und gestaltet oder Sie kaufen einen neutralen Spielplan im Spielwarenhandel. Die Karten können Sie beispielsweise als Wordtabelle anlegen, anschließend auf dünner Pappe ausdrucken und ausschneiden und ggf. laminieren. Ein Vorlage für die Kartenerstellung finden Sie auf der CD-ROM.

Durchführung:

- Auch wenn dies klassisch nicht üblich ist: Lassen Sie das Brettspiel lieber in Gruppen durchführen (soll heißen: nicht Einzelpersonen, sondern Teams spielen gegeneinander), damit keiner allein eine Frage beantworten muss und am Ende des Tages noch Stress oder Frustration auftreten.
- Nachdem Spielbrett, Karten, Spielfiguren aufgebaut und zurechtgelegt sind, bilden Sie je nach Gesamtgröße der Seminargruppe Kleingruppen von 2 bis 3 Teilnehmern.
- Legen Sie fest, wie begonnen wird, und lassen Sie ca. 15 bis 20 Minuten spielen, je nach einkalkulierter Zeit. Halten Sie ggf. kleine Preise bereit, wie Weingummitütchen o.Ä.
- Lassen Sie das Brettspiel auf dem aktuellen Endzustand, wenn Sie es am Folgetag noch fortführen möchten.

Dauer:

mindestens 15 Minuten pro Spielrunde

6.2.3.2 Memory

> Klassisches, nahezu allen bekanntes Gedächtnisspiel, das hier leicht für die Vertiefungsphase des Seminars abgewandelt wird. In diesem Fall bilden nicht zwei Karten mit einer gleichen Abbildung ein Paar, sondern beispielsweise:
>
> - ein Bildsymbol und dessen Bedeutung als Text,
> - ein Satzbeginn und dessen logische Fortführung,
> - eine Frage und die passende konkrete Antwort darauf.

Sie benötigen:

- Runde oder (recht)eckige Moderationskarten, je nach Geschmack, Vorrat und Menge der Informationen.
- Je nach Kartenstärke ist es sinnvoll, je zwei Karten aufeinanderzukleben, damit die Schrift nicht durchscheint.
- Wenn Sie möchten, bemalen oder bedrucken Sie die Karten der Optik halber auf der Oberseite mit einem immer gleich aussehenden Symbol oder Bild (siehe „Männchen" auf der folgenden Abbildung).

- Beschriften oder bedrucken Sie die Karten auf der Unterseite mit Symbolen aus dem IT-Programm, das Sie vermitteln möchten. Die folgende Abbildung zeigt ein Beispiel aus einen IT-Seminar (zum Thema PowerPoint).

Beispiel: Memory PowerPoint-Seminar

Durchführung:
- Verteilen Sie, am besten in einer Übungsphase oder in der Pause, die Karten verdeckt auf dem Boden oder einem Tisch.
- Sortieren Sie zuvor ggf. Karten aus, falls diese nicht erwähnt wurden bzw. um die Spielzeit an den aktuellen Zeitplan anzupassen.
- Erklären Sie zu Beginn noch einmal die Regeln, die zwar den meisten, aber nicht unbedingt allen hinreichend präsent sind: Es werden immer nur zwei Karten aufgedeckt, sodass jeder diese sehen bzw. lesen kann. Wer ein Pärchen findet, nimmt die Karten heraus und ist noch einmal dran (bis zu dreimal). Wer kein Pärchen findet, deckt die Karten wieder zu, und der Nächste, im Uhrzeigersinn, ist an der Reihe.
- Legen Sie fest, wer beginnt, und steuern Sie während des Spielprozesses den Vertiefungseffekt. Das heißt: Fragen Sie bei jeder Karte nach, welche die passende Paarkarte sein könnte bzw. wer sich erinnern kann, welche dazu passen könnte. Haken Sie bei den Symbolen nach der passenden Bedeutung nach und umgekehrt bei der Karte mit der Bedeutung (also dem Text) nach der Optik des Symbols. Bei „textorientierten" Memorys ohne Symbole unterstützen Sie ggf., welche Karte die passende sein könnte.

Fragen Sie z.B. nach, wo die Teilnehmer die Informationen dazu kinästhetisch erinnern („*Das war auf der Wand dahinten rechts*") oder Ähnliches. Wichtig ist, dass Sie ihr eigenes Memory und damit die passenden Paare kennen!

- Bedenken Sie, dass auch insbesondere das Auf- und Zudecken der Karten den Wiederholungseffekt fördert.
- Spielen Sie, bis alle Paare gefunden wurden, und fragen Sie die Teilnehmer anschließend nach der Wirkung dieser Art der Vertiefung. Ich habe noch nie ein negatives Feedback erhalten! Fördern Sie damit den Wunsch, diese Methoden im Seminar auch weiterhin fortzuführen und damit aktivierendes Lehren immer mehr zu etablieren.

Dauer:
Mindestens 15 Minuten pro Spielrunde, je nach Anzahl der Karten und Merkfähigkeit der Teilnehmer.

Einsatzmöglichkeiten:
Memorys sind, siehe die Karten-Paar-Vorschläge im Einführungskasten zu diesem Abschnitt, auch für Themen umsetzbar, die nicht mit Symbolen zu tun haben. Die folgende Abbildung zeigt ein Beispiel aus einem Train-the-Trainer-Seminar.

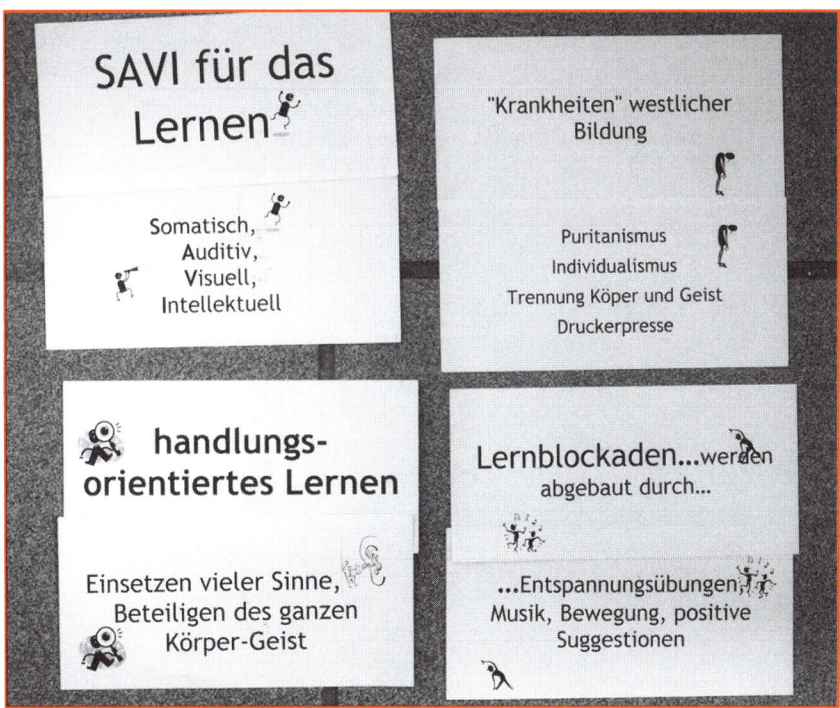

Beispiel: Memory Train-the-Trainer-Seminar

6.2.3.3 Der große Preis (bzw. Jeopardy oder weitere ähnliche Quizspiele)

> Bekanntes Wissensspiel:
> - Fragen zu einem Thema werden, nach Kategorien sortiert, einer bestimmten Punktzahl zugeordnet. Je schwerer die Frage, desto mehr Punkte können mit ihr gemacht werden.
> - Der Moderator stellt die Frage, die Quizteilnehmer betätigen einen „Buzzer", bevor sie die Frage beantworten dürfen.
> - Wer die Antwort am schnellsten weiß, bekommt die Punkte und gewinnt.

Sie benötigen:
- Runde oder (recht)eckige Moderationskarten – je nach Geschmack, Vorrat und Menge der Informationen.
- Je nach Kartenstärke ist es wie beim Memory auch hier sinnvoll, je zwei Karten aufeinanderzukleben, damit die Schrift nicht durchscheint.
- Teilen Sie Ihr Seminarthema, das Sie mit dem Großen Preis vertiefen wollen, in unterschiedliche Kategorien ein. Es sollten mindestens drei sein, maximal fünf halte ich für praktikabel. Jede Kategorie sollte der Optik halber eine eigene Farbe erhalten, sodass Kategorie und die dazugehörigen Fragekarten eine Farbe haben.
- Beschriften Sie je eine Karte mit einer der Kategorien, die später die Überschriften für Ihren Spielplan bilden.
  Beispiel IT-Seminar/Word: Grundlagen, Tabellen, Formatieren
  Beispiel Kommunikation: Vier Seiten einer Nachricht, Gesprächsführung, Smalltalk
- Beschriften oder bedrucken Sie die Fragekarten auf der Oberseite mit Punktzahlen von beispielsweise 20, 50, 70, 100, 150 etc., so, wie es für Sie sinnvoll erscheint. Pro Kategorie sind mindestens vier Fragen sinnvoll.
- Beschriften oder bedrucken Sie die Fragekarten auf der Unterseite mit Fragen zu der jeweiligen Kategorie und achten Sie darauf, dass diese passend zu den Punktzahlen unterschiedlich schwer zu beantworten sind. Alternativ sind kleine Kärtchen mit diesen Fragen denkbar, die Sie dann vor Spielbeginn unter die Punktkarten legen.
- Sie benötigen außerdem pro Teilnehmergruppe einen Buzzer, wie etwa eine Quietscheente, mithilfe derer die Gruppe akustisch anzeigen kann, dass sie die gestellte Frage beantworten möchte.

Durchführung:
- Legen Sie das Spiel auf dem Boden oder auf einem Tisch für alle erkennbar aus: Oben die Kategoriekarten, darunter die jeweils passenden Fragekarten.
- Teilen Sie die Teilnehmer in Gruppen zu 2 bis 3 Spielern ein und geben Sie jeder einen Buzzer.

Beispiele für Fragekarten

- Erklären Sie die Regel, dass nur die Gruppe, die als Erstes quietscht (bzw. Buzzer-Geräusche macht), die Frage beantworten darf. Sie darf aber als Gruppe antworten.
- Der Trainer beginnt, die erste Frage zu stellen, wenn der zuerst quietschenden Gruppe die korrekte Antwort nicht gelingt, ist eine nächste an der Reihe usw. Die Gruppe, die die Frage richtig beantwortet hat, erhält die Karte und damit die Punkte und darf die nächste Frage aussuchen.
- Wichtig: Dennoch darf die Gruppe, die dann wiederum als Erstes quietscht, diese neue Frage beantworten usw.
- Halten Sie kleine Preise für die Sieger bereit bzw. für die gesamte Gruppe.

Dauer:
je nach Anzahl der Fragen ca. 15 bis 20 Minuten

6.2.3.4 Tabu

Das Spiel orientiert sich an der Spielidee des bekannten Gesellschaftsspiels, das der Spieleproduzent Hasbro in unterschiedlichen Ausgaben im Handel anbietet. Auch hier gilt es, eigene thematische Karten zu erstellen, und wir setzen die Spielidee für ein schnelles Wissensspiel ein, durch das die wichtigsten Begriffe eines Themas nochmals in Erinnerung gerufen und gefestigt werden:

Die Teilnehmer spielen in Gruppen gegeneinander. Ein Mitspieler erklärt seiner Gruppe auf Zeit Begriffe, die diese erraten sollen. Der Clou dabei: Bestimmte Worte dürfen dazu nicht benutzt werden – sie sind tabu! Die andere Gruppe versucht, die Anzahl der erratenen Begriffe in der eigenen Spielrunde zu steigern.

Sie benötigen:
- Rechteckige Moderationskarten in einer Farbe; aus Erfahrung halte ich es hier für sinnvoller, die Karten zu bedrucken, weil dies lesbarer ist.
- Erstellen Sie sich dazu in Ihrer Textverarbeitung eine passende Vorlage. Die beiliegende CD-ROM enthält eine Vorlage, die Sie alternativ nutzen können.
  Notieren Sie zunächst oben auf der Karte den Begriff, der erraten werden soll. Formatieren Sie diesen fett und in großer Schriftgröße. Fügen Sie etwas Abstand ein und tippen Sie darunter fünf Worte untereinander, die beim Erklären des Begriffes nicht verwendet werden dürfen.
- In der Auswahl dieser Begriffe liegt die fachliche Herausforderung für Ihre Vorbereitung. Machen Sie es dabei aus Erfahrung lieber zu schwer als zu leicht!
- Formatieren Sie diese Worte dann etwas kleiner als die Überschrift, siehe das folgende Bildbeispiel.
- Erstellen Sie ungefähr 30 bis 40 Karten, manche Gruppen schaffen 10 Karten in kurzer Zeit!

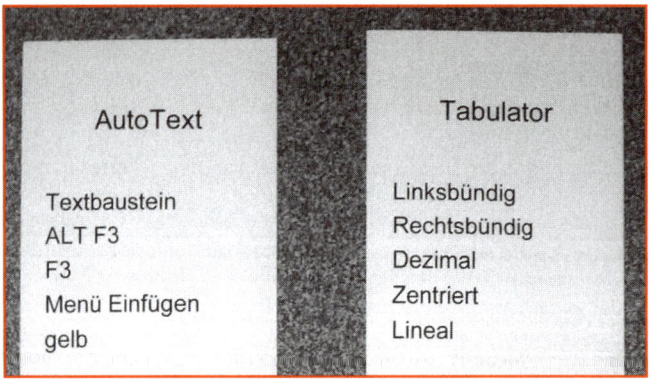

Kartenbeispiele aus einem IT-/Word-Seminar

Durchführung:
- Teilen Sie die Teilnehmer in zwei Gruppen ein und lassen Sie festlegen, wer in der jeweiligen Spielrunde den anderen Mitspielern die Begriffe erklärt (ggf. auslosen).
- Grundsätzlich rät jede Gruppe 2 Minuten lang so viele Begriffe, wie sie schafft, dann ist die andere Gruppe an der Reihe. Gewonnen hat die Gruppe mit den meisten Be-

griffen im Zeitrahmen. Wenn Sie Tabu als Vertiefung einsetzen, empfehle ich Ihnen, im Verlaufe des Tages mehrere Runden davon zu spielen und einen Tagessieger zu küren.

- Damit „gegenseitiges Unterstützen" (oder auch „Schummeln" genannt) möglichst verhindert wird und Sie den Spielablauf von außen steuern können, ist dieser konkrete Ablauf hilfreich: Setzen Sie zwei Spieler nebeneinander, die **nicht** in der gleichen Gruppe sind. Geben Sie dem Teilnehmer, der gerade nicht erklären soll, einen Stapel mit Tabukarten. Geben Sie einem anderen Teilnehmer aus der Gruppe, die gerade nicht rät, eine Quietscheente mit der Bitte, nach 2 Minuten ein akustisches Signal zu geben.
- Nun bekommt der „Erklärer", die oberste Karte vom Kartenstapel gezeigt und erklärt den Begriff seiner Gruppe, ohne die fünf Worte auf der Karte zu verwenden. Darauf achtet der Halter der Tabukarte und gibt Laut, wenn dabei ein Fehler passiert. Die Karte wird dann nicht gezählt und beiseitegeworfen – der Punkt geht auf das Punktekonto der Gegengruppe (kann ggf. als Regel entfallen) und die nächste Karte des Stapels ist an der Reihe usw.
- Wird ein Begriff fehlerfrei erklärt und richtig geraten, kommt die Karte schnell auf den Punktestapel der Gruppe, so lange, bis das Zeitsignal ertönt. Dann ist die andere Gruppe mit dem gleichen Spielsetting an der Reihe.

Dauer:
inklusive Erklärung der Regeln und Rollenaufteilung knapp zehn Minuten pro Runde

6.2.3.5 Was bin ich?

> Einfach umsetzbares und vielfach bekanntes Wissensspiel, durch das die wichtigsten Begriffe eines Themas nochmals in Erinnerung gerufen und gefestigt werden:
>
> Ursprünglich muss je ein Mitspieler mittels geschlossener Fragen, die nur mit Ja oder Nein beantwortet werden können, erraten, welche Person auf einem Zettel steht, der auf seinem Rücken „klebt".
>
> In dieser Variante muss je ein Teilnehmer herausfinden, welchen wichtigen Begriff zum Seminarthema er auf einem Zettel auf seiner Stirn oder besser noch auf seiner Rückenlehne kleben hat.

Sie benötigen:
- Rechteckige Moderationskarten, die Sie sogar noch im Laufe des Seminars mit den aus Ihrer Sicht relevanten Begriffen zum Thema beschriften können.
- Kreppband, um diese Karten auf dem Rücken des Teilnehmers oder an der Rückenlehne seines Stuhls befestigen zu können.

Durchführung:

- Erklären Sie zunächst die Regeln: Es dürfen nur geschlossene Fragen gestellt werden. Wenn es allzu schwierig erscheint und Frust beim Ratenden aufkommt, dürfen Tipps gegeben werden, auf welchem an der Wand hängenden Plakat der Begriff zu finden ist oder Ähnliches.
- Legen Sie den ersten Spieler fest und wählen Sie für ihn eine Karte mit einem Begriff, Thema, einem Tipp etc. aus.
- Diese zeigen Sie den anderen Teilnehmern und befestigen sie dann dem ausgewählten Spieler auf den Rücken bzw. auf der Rückenlehne seines Stuhls.
- Die anderen Teilnehmer sind aufgefordert, ihm bei der Suche behilflich zu sein.
- Der Teilnehmer stellt so lange Fragen, bis er den Begriff etc. auf der Karte erraten hat, und wählt dann den nächsten Spieler aus ...

Dauer:

je nachdem, wie schnell geraten wird, und je nach Anzahl der Teilnehmer mindestens 10 Minuten.

6.2.3.6 Domino

Der Spieleklassiker für das aktivierende Lernen, auf ein Seminarthema angepasst:

Ursprünglich müssen die Mitspieler die ihnen ausgeteilten Dominosteine so aneinanderlegen, dass die Augenzahlen zueinanderpassen, bis alle Steine verbraucht sind.

In dieser Variante bestehen die Dominosteine aus Karten mit Fragen und Antworten zum Thema, die nun von der Gruppe passend aneinandergelegt werden sollen.

Sie benötigen:

- Rechteckige Moderationskarten, die Sie beschriften oder bedrucken können.
- Unterteilen Sie die Karten in der Mitte mit einem senkrechten Strich in zwei Hälften.
- Beginnen Sie mit dem ersten Dominostein als Karte: Notieren Sie auf der linken Hälfte eine Frage zum Thema. Auf der rechten Hälfte notieren Sie eine Antwort, natürlich nicht die, die zur Frage auf dieser Karte passt! Die Antwort wiederum sollte zu der Frage passen, die auf der nächsten Karte auf der linken Seite steht usw.

Nachfolgend ein Beispiel aus einer Seminarsequenz über den „Ottomotor". Es ist auf technische Inhalte im Allgemeinen generalisierbar und diese spielerische Form bietet sich gut an, um Nicht-Technikern technische Themen zu vermitteln.

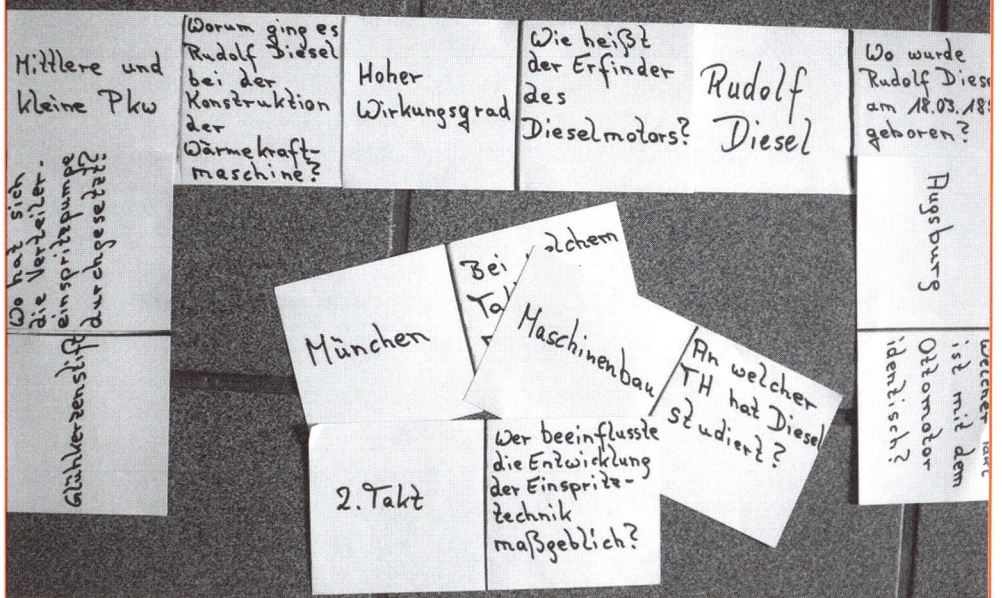

Durchführung:

- Stellen Sie den Teilnehmern das durcheinandergewürfelte Domino als Stapelhaufen zur Verfügung. Ziel ist einzig, dass am Ende immer die richtige Antwort bei der passenden Frage liegt und dies gemeinsam in der Gruppe geschehen soll.
- Ich gebe dabei keine Regel vor, sondern lasse die Teilnehmer entscheiden, wie sie genau vorgehen wollen. So kommen auch die unterschiedlichen Charaktere – lebhaftere und ruhigere Personen – auf ihre Art zum Zuge.
- Erstellen Sie lieber zwei Dominosets und lassen Sie die Teilnehmer in zwei Gruppen mit maximal 6 Teilnehmern arbeiten.

Dauer:

ca. 15 Minuten, je nach Anzahl der Spielsteine

6.2.3.7 Stimmt das?

> Die Teilnehmer sollen mittels „Abstimmkarten" entscheiden, ob ein vom Trainer vorgeführtes Szenario, Bild o.Ä. zum Seminarthema korrekt ist. Dabei sind die unterschiedlichsten Formen der „Darbietung" denkbar. Diese Art der Vertiefung können Sie sehr vielfältig einsetzen, um den Teilnehmern Gelegenheit zu geben festzustellen, inwiefern sie ein Thema tatsächlich schon begriffen haben und vom Kennen ins Können übergegangen sind.

Die Beschreibung ist beabsichtigt sehr allgemein gehalten, es soll nur darum gehen, das Prinzip aufzugreifen und individuell umzusetzen. Je nach Thema eignet sich diese Vertiefung eher weniger oder sehr gut. Vor allem wenn es um instrumentelles Wissen geht, lassen sich auf einfache Weise komplexere Strukturen überprüfen. Dazu ein Beispiel aus dem IT-Bereich, speziell aus einem Excel-Seminar. Zum Thema Formeln könnte man zur Festigung und Überprüfung des Wissens klassisch Aufgaben stellen, um Formeln bauen zu lassen. Schneller, lockerer und das für beliebige Schwierkeitsgrade geht es so:

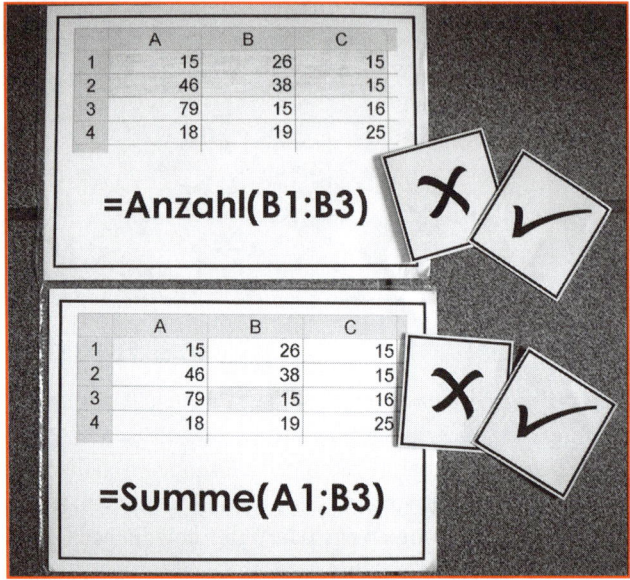

Stimmt die Formel?

Durchführung des Beispiels:
Nachdem die Teilnehmer das Thema Formeln in Excel schon auf unterschiedliche Arten erarbeiten konnten, vertiefen Sie das Thema nun, indem fertige Formeln beurteilt werden sollen. Sie haben als Trainer mehrere dieser DIN-A4-Karten mit Tabellenbereichen und Formeln vorbereitet und zeigen je eine Karte so, dass diese von allen zu sehen ist. Mittels Hochhalten der roten oder grünen Karten entscheidet sich nun jeder Teilnehmer, ob die Formel seiner Meinung nach zum markierten Bereich passt und insgesamt korrekt ist oder nicht. Daraus entsteht ein Gruppenbild, das man ggf. noch kommentieren kann. Natürlich erhalten alle anschließend die korrekte Antwort und die nächste Karte darf „bewertet" werden ...

Sie benötigen:
Was Sie nun den Teilnehmern zeigen und mit welchem Medium (Beamer, Karten, auf der Pinnwand, auf Postern, als Film etc.), hängt sicherlich sehr vom Thema und

den dafür zu Verfügung stehenden Materialien zusammen. Deshalb sind Ihrer Fantasie hier wie auch bei den anderen Methoden keine Grenzen gesetzt – passen Sie alles Ihren Vorstellungen gemäß an.

Dauer:
ca. 10 Minuten, je nach Medium und Bewertungserfolg der Teilnehmer

6.2.3.8 Lerngestalten bauen

> Die Teilnehmer legen mittels vorbereiteter Karten einen Prozess, einen Ablauf, eine Struktur o.Ä. Sie stellen die korrekte Gestalt her und erkennen so, was sie bisher vom Thema umgesetzt und behalten haben.
>
> Auch dieses Vorgehen ist besonders passend bei IT-Themen (z.B. Office-Schulungen, Programmierung) und im Anwendungsumfeld (z.B. SAP). Kann aber auch in Softskill-Umfeld genutzt werden.
>
> Auf IT-Themen beziehen sich auch die folgenden beiden Beispiele.

Beispiel 1: Excel-Formeln legen

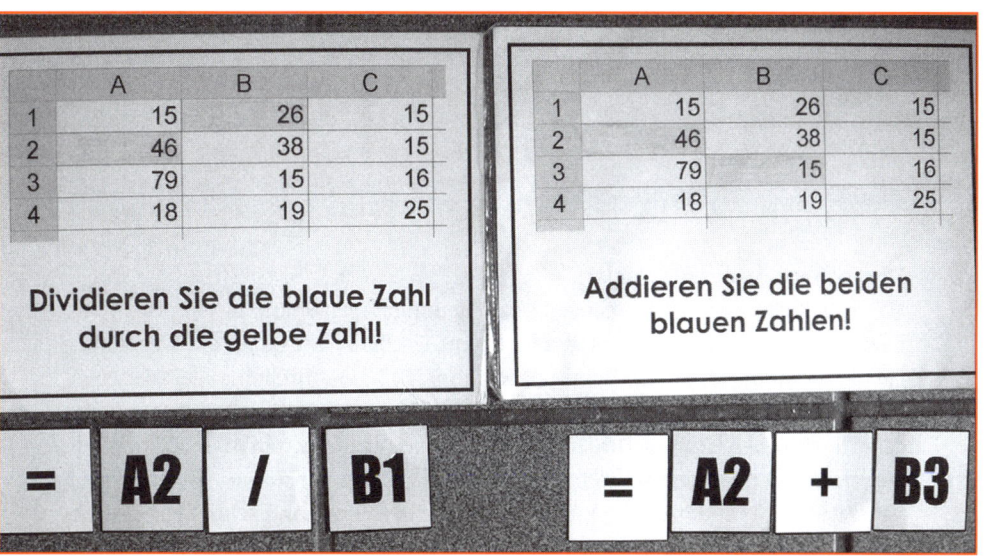

Hinweis: Auf den Postern in den Karten wird Farbe zur Strukturierung genutzt. Tabellenfelder und Karten sind verschiedenfarbig, was auf dem abgedruckten Foto nur begrenzt zu erkennen ist. Schauen Sie sich die farbige Abbildung auf der CD-ROM an!

Durchführung des Beispiels:

Die Teilnehmer finden sich in Paaren oder Dreiergruppen zusammen und erhalten zwei bis drei der DIN-A4-Karten mit Formelaufgaben und je ein Set Zelladresse und Operatoren. Jede Gruppe legt unterhalb des Aufgabenblattes mit den kleinen Karten die Formeln wie beschrieben. Schließen Sie eine „Formel-Vernissage" an, bei der alle durch den Seminarraum laufen und sich die Formeln der anderen Gruppen ansehen und ggf. helfen, diese zu korrigieren. Klären Sie offene Fragen, fassen Sie zusammen und beginnen nun eine vorbereitete Übungsphase am PC.

Dauer:

ca. 15 Minuten

Beispiel 2: PowerPoint-Tasten-Kombinationen zuordnen

Durchführung des Beispiels:

Wenn die Tastenkombinationen noch sehr neu sind, legen Sie die Tasten in der richtigen Reihenfolge auf dem Boden oder einem Tisch aus. Legen Sie die Karten mit den Beschreibungen der Kombinationen (im Bild links) „durcheinander" daneben und bitten Sie die Teilnehmer, sich um die ausgelegten Karten zu versammeln, sodass alle sie sehen können. Fordern Sie die Gruppe auf, die Karten passend zuzuordnen, und halten Sie sich währenddessen zurück. Fassen Sie zusammen, haken Sie nach, wie die Teilnehmer die kurze Vertiefung bewerten, und schließen Sie eine Pause oder weitere Übungen an.

Sie benötigen:

Karten unterschiedlicher Formen und Farben zum Beschriften oder Bedrucken – je nach Umsetzung der Methode.

Dauer:
maximal 7 Minuten

! Tipp:

Schwerer wird es, wenn Sie die Teilnehmer bitten, die gesamte Tastenkombinationsgestalt zu legen. Dies sollte auf jeden Fall im Laufe des Tages oder am Folgetag – wenn vorhanden – geschehen. Es erhöht den Vertiefungsgrad!

Natürlich können Sie die Methode auch für andere (Wissens-)Inhalte benutzen, indem Sie sie sinnfällig anwenden.

6.2.3.9 Lückentext

> Die Teilnehmer füllen, ähnlich wie in der Schule (z.B. im Fremdsprachen-unterricht) einen vorbereiteten Lückentext zu einem Thema aus, das sie sich zuvor schon auf andere Art erarbeitet haben.
>
> Der Text dient der eigenen Wissenskontrolle und Sicherheit im Thema.

Sie benötigen:
Der Materialbedarf (Karten, Flipchartpapier etc.) richtet sich hier nach der Gruppengröße: Die Methode lässt sich in DIN A4 in Einzel- oder Partnerarbeit durchführen oder auch für eine Kleingruppe auf Poster- oder Pinnwandgröße.

Durchführung:
Schreiben Sie auf DIN A4, auf einem Flipchartpapier oder einer mit Papier bespannten Pinnwand einen Text – wichtige Stellen, die die Teilnehmer nach der bisherigen Erarbeitung des Themas kennen und einschätzen können müssten, lassen Sie als Lücken frei und kennzeichnen diese optisch durch eine Linie oder „Pünktchen". Ist das Thema noch nicht in ganzer Tiefe erarbeitet, vereinfachen Sie diese Vertiefung, indem Sie die fehlenden Wörter unter den Text schreiben bzw. für die große Variante fertige Karten mit den Worten zur Verfügung stellen, an denen sich die Teilnehmer orientieren können.

Dauer:
ca. 10 Minuten

6.2.4 Abschlüsse/Integrationen

Die Wahl der Methode zur Integration macht man am besten an der Seminarlänge fest:

- Bei **eintägigen** Seminaren integriere ich beispielsweise die einzelnen Themenblöcke kürzer durch gezielte Fragen („*Was ist Ihnen klar geworden?*", „*Was fehlt Ihnen jetzt* *noch, um …*"etc.) und lasse am Ende des Vor- und Nachmittages eine kurze spielerische Vertiefung einfließen (Memory, Tabu etc.).

Den Seminartag selbst beende ich mit einer Methode, die mehr dem Feedback zum Inhalt und zum Seminarverlauf selbst sowie dem Resümee des individuellen Nutzens dient.

- Bei **mehrtägigen** Seminaren kann man sich am Ende aller Seminartage, die nicht der letzte sind, auf einen Ausblick auf den Folgetag beschränken. Das verbindet sich mit dem Hinweis, dass die Integration am nächsten Morgen mit frischem Kopf erfolgt – wozu ich rate.

Genutzt werden können zum einen Methoden, die Sie schon im vorherigen Kapitel kennen gelernt haben. Besser beginnt man aber damit, die Teilnehmer zunächst etwas „sanfter" ins Thema zurückzuholen.

Nachfolgend Methoden, um **den vergangenen Seminartag zu integrieren**:

6.2.4.1 Vernissage

> Dies ist eine Methode, um in Partnerarbeit entspannt die Themen des vorherigen Tages noch einmal ins Gedächtnis zu rufen – anhand der Poster mit den bisherigen Themen.

Sie benötigen:
Nichts, außer den Themenpostern des vorherigen Seminartages, die für alle sichtbar an den (Pinn-)Wänden befestigt sind. Ideal ist, wenn die Poster nicht nur an einer langen Wand entlang hängen, sondern an unterschiedlichen, damit mehr Bewegung in die Vernissage kommt.

Durchführung:
Bitten Sie die Teilnehmer, sich einen Partner zu suchen und sich anschließend vor den Postern bzw. Wänden des Seminarraumes zu verteilen – gerne mit einer Tasse Kaffee. Die Aufgabe besteht nur darin, sich die Poster abwechselnd laut vorzulesen, über den Inhalt ins Gespräch zu kommen und dies so lange zu tun, bis jeder alle Poster noch einmal reflektiert hat.

So wiederholen alle noch einmal aktiv die Inhalte des Vortages, ohne abgefragt worden zu sein. Hier treten auch oftmals noch offene Fragen auf (*„Ach, das hatte ich doch glatt vergessen"*), die meist sofort durch die anderen Teilnehmer geklärt werden können.

Dauer:
ca. 20 Minuten (die hier zum Tagesbeginn ganz besonders gut investiert sind!)

6.2.4.2 Lernkonzert

In eher passiver Entspannung die Themen des vorherigen Tages noch einmal ins Gedächtnis rufen. Mit Musik und geschlossenen Augen.

Sie benötigen:

- Einen Text, der Ihre Teilnehmer in eine kurze Zeit von Entspannung führt und nach dem Lernkonzert verbal wieder aus dieser herausholt.
- Außerdem benötigen Sie die wichtigsten Stichworte des Vortages – entweder abgelesen von den für Sie sichtbaren Themenpostern des vorherigen Seminartages oder von einem Stichwortzettel, den Sie zuvor erstellt haben.
- Des Weiteren einen Musiktitel, der im Tempo etwa den 60 Schlägen pro Minute und Ihrem Geschmack entspricht, und das dazu passende Abspielgerät (Hinweise zur Musikauswahl finden Sie im Kapitel 6.1.5 und exemplarische Musiktitelvorschläge sind auf der CD-ROM vorhanden).

Durchführung:

Wie in Kapitel 6.1.5 bereits diskutiert, hat selten niemand Vorurteile gegenüber Methoden mit Musik. Nicht nur deshalb bereiten Sie Ihre Teilnehmer am besten schon am Vortag auf das Lernkonzert vor, indem Sie ankündigen, dass es sich um eine entspannte kurze Form der Zusammenfassung handelt, bei der niemand abgefragt und auch keine „Fahrstuhlmusik" eingesetzt wird.

Halten Sie Ihre beiden Zettel mit dem Hin- und Rückführungstext (siehe CD-ROM) und den Stichworten parat. Vor dem Lernkonzert selbst bitten Sie alle Teilnehmer, die Augen zu schließen oder mit unfokussiertem Blick auf dem Boden zu schauen – jeder sollte während der ca. 7 Minuten bei sich sein können. Kündigen Sie an, dass Sie nun die Musik starten und die Lautstärke ggf. noch nachregeln werden, und beginnen Sie mit dem Lernkonzert.

Lassen Sie dabei die Musik zunächst ein wenig laufen. Jeder muss sich erst einmal an die Entspannung, Ruhe und die Musik gewöhnen. Suchen Sie sich am besten zuvor eine Stelle im Musikstück heraus, an der Sie beginnen möchten, damit auch Sie sich in Ruhe auf die Methode einlassen können. Beginnen Sie dann, ruhig und weder zu schnell noch zu langsam den Hinführungstext zu sprechen, bis zu der Stelle, an der die Stichworte des Vortages kommen. Diese lesen Sie nun in nachvollziehbarem Tempo mit kurzen Pausen zwischen den einzelnen Themenblöcken vor.

Am Ende schließen Sie, in etwas flotterem Tempo und mit etwas lauterer Stimme, den Rückführungstext an. Drehen Sie anschließend die Lautstärke der Musik stückweise herunter, setzen sich ggf. ruhig an Ihren Platz zurück und schließen eine ruhige Feedbackrunde bezüglich der Wirkung des Lernkonzertes an.

Dauer: ca. 10 Minuten.

! Tipps:

Lassen Sie sich nicht davon irritieren, dass manch einer nicht sofort begeistert ist oder sich (noch) nicht entspannen konnte. Auch diese Teilnehmer nehmen genug Wiederholung der Themen mit, aber nicht jeder kann sich sofort auf die Methode einlassen. Je häufiger Sie sie selbstverständlich anwenden, desto gewohnter wird sie!

Üben Sie das Sprechen der Lernkonzerte zuvor allein und dann vor jemandem, den Sie kennen und der Ihnen ein Feedback geben kann. Viele scheuen diese Methode zunächst, weil sie sich das Sprechen zur Musik nicht zutrauen – es ist eine Frage der Übung und es lohnt sich:

Das Lernkonzert ist eine der schnellsten und effektivsten Methoden, jegliche Themen im Gedächtnis zu festigen!

6.2.4.3 Ich erinnere mich ...

> In lockeren Gesprächen die Themen des vorherigen Tages noch einmal ins Gedächtnis rufen – als Alternative zur Vernissage.

Sie benötigen:

Ein Plakat, auf dem Sie locker die Hauptthemen des vorherigen Seminartages ansprechend visualisiert haben. Ideal ist es, wenn die Themenposter des vorherigen Seminartages für alle sichtbar an den (Pinn-)Wänden befestigt sind.

Durchführung:

Stellen Sie den Teilnehmern anhand des Posters kurz noch einmal die Hauptthemen des vorherigen Tages vor. Bitten Sie sie nun Dreiergruppen zu bilden und mit ihren Stühlen zu kleinen Kreisen zusammenzurücken.

Auftrag ist es, dass einer beginnt, laut eine Assoziation zum ersten Thema zu nennen – einfach das, was ihm dazu (wieder) in den Sinn kommt. Die anderen erinnern sich mit, schauen ggf. noch mal vom Platz aus auf das passende Poster an der Wand, kommen darüber ins Gespräch, bis niemandem mehr etwas einfällt. Nun assoziiert der Nächste in der Runde zum nächsten Thema auf dem Poster usw., bis alle Themen „durch" sind.

Dauer:

ca. 15 bis 20 Minuten

Hinweis:

Sie können auch zwei bis drei gezielte Leitfragen unter den Themen notieren, wenn es Ihnen wichtig ist, dass sich die Teilnehmer über ganz bestimmte Aspekte austauschen.

Schauen wir uns jetzt Methoden an, **um den Seminartag abzuschließen**. Für mich sollen in Abschlussrunden folgende Aspekte besonders hervorgehoben werden:

- Gemäß dem bekannten Motto *„Lernen ist kreieren, nicht konsumieren"* sollte jeder am Ende einmal laut ausgesprochen haben, was ihm nützlich, schwierig, überraschend, bekannt, bemerkenswert etc. erschien – und es damit einen Schritt mehr „wahr" werden lassen.
- Da Menschen individuell sind, ist ihr Lernen auch individuell – jedem war etwas anderes wichtig.
- Wenn Menschen aus einem Seminar etwas in den Alltag übertragen und dort (er-) leben möchten, ist es Voraussetzung, dass sie sich darüber klar werden, was am meisten nützen würde und womit man deshalb beginnen könnte. Es ist nicht alles (auf einmal) umsetzbar.
- Lernen vollzieht sich in Schritten, mal größer, mal kleiner, jedoch sind alle hilfreich.

Hier nun die Methoden dazu ....

6.2.4.4 Themen fischen

> Mittels der Metapher des „Angelns" die lohnenswerten Seminarthemen herausfischen und gewichten. Dabei erkennen, dass keines schlecht ist, sondern allenfalls individuell unpassend sein kann.

Sie benötigen:
Ein Plakat oder eine mit Papier bespannte Pinnwand, auf der Sie ein angedeutetes (Fischer-)Netz angeheftet oder aufgezeichnet haben. Des Weiteren einen angedeuteten See, den Sie z.B. mit Kreppband auf dem Boden darstellen können. Mindestens 2 x 3 Karten in zwei unterschiedlichen Farben pro Teilnehmer, passende Stifte und Kreppband oder einen Klebestift.

Durchführung:
Führen Sie in die Metapher ein, indem Sie vom Angeln erzählen:
Beim Angeln zieht man mal große, mittelgroße und auch schon mal kleinere Fische aus dem See. Besonders die kleinen wirft man wieder hinein, weil diese noch wachsen sollen und einem nichts nützen. Manchmal hat der Fisch auch eine gute Größe, entspricht aber nicht der Sorte, die man gerne mit nach Hause nehmen möchte. Auch diese wirft man wieder in den See. Genauso fischt man im Laufe eines Seminars Themen, Tipps etc. aus dem großen Themen-See. Bitten Sie nun Ihre Teilnehmer, auf Karten folgende zwei Fragen zu beantworten:

- Welche drei Themen des Seminars kommen in Ihr Netz, um diese mit nach Hause zu nehmen?
- Welche drei Themen des Seminars möchten Sie wieder zurück in den See werfen, weil sie „(noch) nicht passen", „zu klein" oder „zu groß" oder Ähnliches sind?

Anschließend stellt jeder Einzelne seine Karten vor und klebt diese entweder in das (Poster-)Netz oder wirft sie in den (Kreppband-)See.

Damit ergibt sich abschließend ein gutes Gesamtbild der Gruppe, das beispelsweise mit ins Fotoprotokoll aufgenommen werden kann.

Dauer:
Je nach Gruppengröße ca. zwanzig bis dreißig Minuten, die Anzahl der Karten hilft, die Länge zu steuern.

Eine kürzere, rein verbale Variante: „Was liegt oben im Koffer?"
Anstatt die Themen aus einem See zu fischen und auf Karten zu notieren, stellen sich die Teilnehmer vor, ihren Koffer zum Thema zu packen (*„Wenn Sie nun Ihren Word-Koffer/Projektmanagement-Koffer/Zeitmanagement-Koffer/Kommunikations-Koffer packen würden..."*).

Dabei beantworten sie die Fragen:
- Welche der Themen und Erlebnisse liegen ganz oben, sodass man schnell darauf zugreifen kann?
- Welche liegen etwas tiefer unten?
- Welche kommen erst gar nicht in Ihren Koffer hinein?

Sie benötigen:
Ein Poster mit den Leitfragen und ggf. einen Koffer oder einen Karton, um die Methode zu visualisieren. Wenn Sie möchten, können Sie die Ergebnisse der Teilnehmer auf einem Poster mitschreiben, um ein Gruppenbild zu bekommen.

Dauer:
je nach Gruppengröße ca. 15 Minuten

6.2.4.5 Ich schreibe mir einen Brief ...

Jeder Teilnehmer schreibt an sich selbst einen Brief und teilt darin mit, was er innerhalb der nächsten Wochen vom Seminar umsetzen möchte. Diesen erhält er durch den Trainer per Post nach Ablauf einer bestimmten Zeit und kann so die Umsetzung seiner Ziele überprüfen bzw. sich (wieder) daran erinnern lassen.

Sie benötigen:
So viele Briefumschläge wie Teilnehmer plus einige Blöcke und Stifte, falls die Teilnehmer diese nicht dabei haben.

Durchführung:
- Verteilen Sie die Briefumschläge an Ihre Teilnehmer und bitten Sie sie, diese an sich selbst zu adressieren.
- Fordern Sie nun dazu auf, dass sich jeder Teilnehmer in Ruhe – mindestens 15, besser 30 Minuten – Zeit nimmt, an sich selbst einen liebevoll formulierten Brief zu schreiben. Darin soll stehen, was man sich am aktuellen Tag vorgenommen hat umzusetzen und bis wann dies passiert sein soll.

Beispiele sind je nach Seminarinhalt:
  - Zur Weihnachtszeit den ersten großen Serienbrief an die Kunden alleine erstellen und herausschicken.
  - Eine (Software-)Zertifizierung bestanden haben.
  - Im Arbeitsalltag gezielt stille Stunden und Powerriegel einplanen, um so am Stück mehr erledigt zu bekommen.
  - Aufgrund der Qualifikationen in der gewünschten Position arbeiten.
  - In einem Monat ein Sabbatical nehmen.
  - In Elternzeit sein.
  - Projekte konsequent mit einem Tool planen und kontrollieren.
  - Unstimmigkeiten noch am gleichen Tag ansprechen.
  - Die Körpersprache des Gesprächspartners gezielt beobachten und sich darauf einstellen.
  - Etc.

Der Brief wird anschließend im zugeklebten Umschlag an den Trainer übergeben, der diesen zum angekündigten Zeitraum an die Teilnehmer schickt. Der Zeitraum variiert je der Umsetzbarkeit der Ziele von zwei Wochen, wenigen Monaten bis hin zu einem Jahr.

Dauer:
je nach Thema 15 bis 30 Minuten für das Schreiben der Briefe

Variante:
Jeder Teilnehmer sucht sich unter den Teilnehmern einen Coach und schickt ihm den Brief. Nach einem abgesprochenen Zeitrahmen ruft der zu Coachende seinen Coach an und dieser erkundigt sich nach dem Stand der Umsetzung. Falls es Probleme gab oder noch nichts passiert ist, fragt der Coach nur, was daran gehindert hat, ohne zu bewerten oder Tipps zu geben.

Wichtig ist, dass das Telefonat eine feste Länge hat und dass Smalltalk als extra zu berechnende Zeit aufgefasst wird. Am besten sollte dies in einem gesonderten Gespräch stattfinden, weil man sich sonst gerne unprofessionell „verquatscht". So ist jeder Coach und wird gecoacht und alle sind in der gleichen Verantwortung füreinander!

6.2.4.6 Koffer packen „Für mich bedeutet ..."

> Mittels Gegenständen assoziieren, was man mit einem Thema verbindet – in positiver und negativer Hinsicht.

Sie benötigen:
Einen kleinen Koffer oder ein Kistchen mit vielen unterschiedlichen Gegenständen aus dem Alltag wie etwa: Feder, Trillerpfeife, Stift, Teebeutel, Männchen, Plastikblume, Haushaltsgummi, Block, Wasserpistole, Tablette, Taschentücher, Würfel etc. Es reichen einfache Gegenstände, die zu Hause „rumfliegen" oder mehrfach vorhanden sind.

Durchführung:
Der Trainer „schüttet" die Kiste mit den Gegenständen in der Raummitte auf dem Boden oder auf einem Tisch aus, sichtbar für alle. Die Teilnehmer setzen oder stellen sich darum herum und der Trainer bittet, ihm beim Packen des Koffers/der Kiste zu helfen. Dabei sollen die Teilnehmer eine zum Thema passende Leitfrage verwenden, z.B. *„Ganzheitliches Lernen bedeutet für mich ..."* oder *„Professionell mit PowerPoint zu arbeiten, bedeutet für mich ..."* oder *„Für gelungene Kommunikation benötigt man ..."* etc.

Um zu verdeutlichen, wie mit den Gegenständen assoziiert werden soll, beginnt der Trainer und greift sich den ersten Gegenstand (z.B. eine Feder) und sagt: *„Ganzheitliches Lernen bedeutet für mich, die Teilnehmer manchmal mit anregenden Methoden wach zu kitzeln. Deshalb packe ich die Feder in meinen Trainerkoffer ..."* Nun folgen ihm die Teilnehmer in beliebiger Reihenfolge und führen die Analogie mit den anderen Gegenständen weiter, bis alle gewünschten Gegenstände wieder im Koffer sind.

Dauer: ca. 15 Minuten

6.2.4.7 Der heiße Stuhl

> Dabei wird eine temporeiche und kurze Abschlussrunde als Wettbewerb auf Zeit durchgeführt.

Sie benötigen:

Einen Stuhl, den Sie in die Mitte des Raumes/Stuhlkreises stellen, und ggf. kleine Preise.

Durchführung:

Kündigen Sie eine flotte Abschlussrunde an, bei der es um die heißesten Themen des Tages oder des Seminars gehen soll. Das Ganze läuft als Wettbewerb, bei dem die Gruppe innerhalb von drei Runden immer schneller werden sollte, was der Gruppe aber zu Beginn noch nicht gesagt wird! Die Methode funktioniert am besten im Uhrzeigersinn, sodass jeder weiß, wann er an der Reihe ist.

Die Person links außen vom Trainer beginnt, setzt sich schnell auf den Stuhl in der Mitte und sagt: *„Mein heißestes Thema war …"*, und ergänzt den Satz. Sie setzt sich zurück auf ihren Platz und der Nächste ist an der Reihe, bis jeder Teilnehmer einmal auf dem heißen Stuhl gesessen hat. Der Trainer misst die Zeit und bemerkt: *„Das muss schneller gehen."* Die Teilnehmer gehen in die zweite Runde und versuchen, ihre Zeit zu unterbieten. In einer dritten Runde, versuchen sie es noch schneller. Am Ende bekommen sie (neben dem Seminarbeurteilungsbogen) einen kleinen Preis.

Dauer: ca. 7 Minuten

6.2.4.8 Ds Spl hn Vkl (Das Spiel ohne Vokale)

> Den Tag mit den wichtigsten Themen und Begriffen Revue passieren lassen – die jedoch erraten werden müssen.

Sie benötigen:

Eine Pinnwand oder eine andere Gelegenheit, Karten für alle sichtbar aufzuhängen. Außerdem mindestens zwei Karten pro Teilnehmer und Stifte.

Durchführung:

Geben Sie jedem Teilnehmer mindestens zwei Karten und einen Stift und bitten Sie darum, dass jeder zwei Favoriten (Thema, Tipp, Schlagwort etc.) des Seminars notieren soll – jeweils auf eine Karte.

Jedoch: Die Worte (es können auch mehrere Worte pro Karte sein) sollen ohne Vokal notiert werden! Wenn jeder fertig ist, klebt oder pinnt der startende Teilnehmer seine erste Karte für alle sichtbar fest und die anderen erraten, was auf der Karte steht. Kommentieren Sie ggf. noch mal den Begriff im Sinne des Tagesresümees, bevor der Nächste an der Reihe ist. Die Reihenfolge kann auch so entstehen, dass derjenige, der an der Reihe war, festlegt, wer nun folgt.

Dauer: ca. 10 Minuten

6.2.5 Körper und Geist aktivieren

An manchen Seminartagen sind sie einfach sinnvoll und die einzige Möglichkeit, wieder die Lebensgeister aller zu wecken: Aktivierungen!

AKTIVIERUNGEN HABEN NICHT ZWANGSLÄUFIG MIT DEM THEMA ZU TUN, SONDERN DIENEN EINZIG DAZU, SPASS UND KÖRPERLICHE BEWEGUNG ZU ERLEBEN, UM IM ANSCHLUSS WIEDER IN EINE ARBEITSPHASE TRETEN ZU KÖNNEN.

Meiner Erfahrung nach wirkt aber nicht nur das Mittagessen ermüdend, sondern auch so manch bedrückende Beleuchtung, trübes Wetter oder einfach mal komisch triste Stimmung. Für diese Fälle sollten Trainer immer ein paar Aktivierungen in petto haben, die in der Regel ohne (viel) Material auskommen.

Methodenkoffer – Aktivierungen im Überblick

Stange ausbalancieren

Eine Stange oder einen Zollstock gemeinsam auf dem Boden ablegen.

Sie benötigen:
eine im Raum vorhandene Jalousienstange oder besser noch einen Zollstock

Durchführung:
- Bitten Sie die Teilnehmer, sich nah beieinander in zwei Reihen gegenüber aufzustellen und ihre Zeigefinger auszustrecken.
- Legen Sie den auseinandergefalteten Zollstock auf die Zeigefinger der Teilnehmer.
- Aufgabe ist es, dass alle gemeinsam den Zollstock nach unten auf den Boden absenken, sodass niemand zu keiner Zeit den Kontakt zum Zollstock mit dem Zeigefinger verliert. Lassen Sie sich überraschen, was passiert …

Tipp:
Diese Aktivierung ist gut als Teamübung geeignet. Sie können eine Auswertung mit den Fragen machen: Wer hat geführt? Wer hat reagiert? Welche Rollen gab es? Wie ist es zu Beginn gelaufen und warum? Welche Phasen gab es im Ablauf?

Dauer:
ca. 5 Minuten

Gordischer Knoten

Sich verknoten und wieder entwirren.

Vorsicht – viel Körperkontakt!

Sie benötigen:
nichts

Durchführung:
* Bitten Sie die Teilnehmer, sich in einem Kreis aufzustellen, für einen kurzen Moment die Augen zu schließen und beide Hände auszustrecken. Jeder fasst nun zwei Hände, die er gerade packen kann.
* Ziel ist es, dass die Teilnehmer sich mittels Unter- und Übereinander-Herkriechen und -drehen so entwirren, dass sie wieder einen Kreis bilden.

Tipp:
Bitte Vorsicht beim Entknoten walten lassen und nur mit Gruppen durchführen, die Körperkontakt zulassen möchten!

Dauer:
ca. 10 Minuten

Pferderennen

Nachspielen eines turbulenten Pferderennens – sehr aktivierend!

Sie benötigen:
nichts

Durchführung:
Alle Teilnehmer stehen Schulter an Schulter in einem Kreis. Versetzen Sie nun die Teilnehmer in die Situation, auf einer Pferderennbahn zu sein, wobei die Teilnehmer die Pferde sind. Geben Sie während des Pferderennens klare Anweisungen, ob gerade getrabt oder gesprungen wird, eine Rechtskurve kommt, eine Linkskurve, man über einen Wassergraben springen muss oder alle schnell auf die Zielgerade zugaloppieren. Beginnen Sie als Trainer zu traben, fordern Sie die Teilnehmer auf, es Ihnen nachzutun. Steigern Sie mal das Tempo, drücken den Kreis nach rechts, nach links, springen, traben Sie weiter etc., sodass alle nach ca. 1,5 bis 2 Minuten in die Zielgerade einlaufen und anschließend erschöpft wieder sitzen können.

Tipp:
Auch diese Übung setzt natürlich die Bereitschaft der Teilnehmer voraus, bei einem solchen „Parcours" mitzumachen!

Dauer:
ca. 1,5 bis 2 Minuten

Jonglieren mit Tüchern

Mit Tüchern jonglieren lernen, sich sanft aktivieren und die Gehirnhälften synchronisieren. In der Regel klappt es nach wenigen Minuten – wichtig ist, nicht darüber nachzudenken!

Sie benötigen:
je drei Jongliertücher pro Person

Durchführung:

1. Starten Sie mit einem Tuch! Schwingen Sie das Tuch von rechts unten nach links oben

2. Fühlen Sie sich sicher? Dann nehmen Sie ein zweites Tuch und schwingen es in die jeweils gegenüberliegenden Ecken!

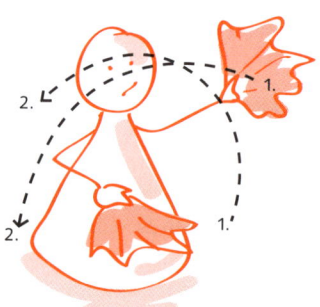

Stellen Sie sich ein Rechteck vor Ihren Augen vor und versuchen Sie, das Tuch auf die gegenüberliegende Ecke zu legen.

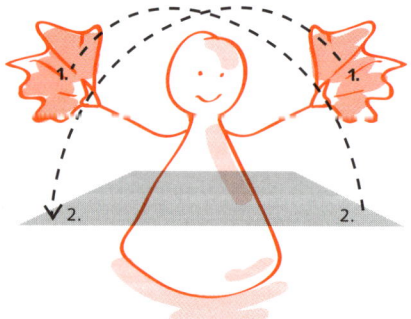

3. Prima! Und nun mit drei Tüchern. Beginnen Sie mit der Hand, in der Sie zwei Tücher halten (wichtig für Linkshänder!).

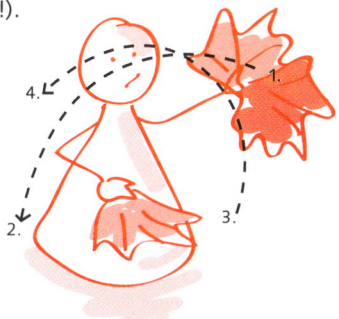

Dauer: je nach Luste und Laune, aber mind. 5 Minuten

Obstsalat – einen Platz finden

Sich innerhalb eines Stuhlkreises einen Platz ergattern – doch es ist immer einer zu wenig vorhanden …

Sie benötigen:
Nichts, außer einem Stuhlkreis, der recht eng zusammen steht und einen Stuhl weniger als Mitspieler hat.

Durchführung:
Alle sitzen im Stuhlkreis, und da Sie als Trainer beginnen sollten, stehen Sie in der Mitte. Ziel ist es nun, dass Sie sich einen Platz ergattern und damit zwangsläufig jemand anders in der Mitte übrig bleibt. Dies geschieht, indem Sie ein Kriterium nennen („Alle, die eine Jeans tragen / Geschwister haben / einen Hund haben / blaue, braune, grüne Augen haben / eine Uhr tragen etc., wechseln den Platz") und die entsprechenden Personen aufstehen und sich einen neuen freien Platz suchen.

In der Zwischenzeit versuchen Sie bzw. derjenige in der Mitte, sich ebenfalls einen Platz zu ergattern. Damit bleibt wieder einer in der Stuhlkreismitte übrig, der durch ein neues Kriterium einige in Bewegung setzt usw.

Tipp:
Die Aktivierung funktioniert gut, wenn der Teilnehmer in der Mitte möglichst schnell ein Kriterium zum Platzwechsel findet. Nehmen Sie alles Optische oder auch nicht sichtbare Dinge, um möglichst abwechslungsreich zu sein.

Dauer: ca. fünfzehn Minuten

Luftballon-Volleyball

Sich beim Hin- und Herschubsen und -schlagen von Luftballons körperlich richtig auspowern.

Sie benötigen:
je einen Luftballon pro Teilnehmer (da mal einer platzen kann, ein paar mehr als Reserve), einen Streifen Kreppband.

Durchführung:
- Jeder Teilnehmer pustet seinen Ballon auf, steht auf, läuft durch den Raum und versucht, den Ballon mal sanft, mal heftiger an die Decke zu schlagen.
- Nach einer Minute Einstimmung, teilen Sie den Raum mit Kreppband in zwei Bereiche auf und bitten die Teilnehmer, sich gleichmäßig in den beiden Bereichen zu verteilen.
- Jede Gruppe hat zu Beginn gleich viele Ballons auf ihrer Seite.
- Auf Kommando schlagen alle ihre Ballons auf die andere Seite. Sie messen währenddessen nur die Zeit oder achten auf diese, während Sie mitschubsen. Gewonnen hat die Gruppe, die nach 2 Minuten die wenigsten Ballons auf ihrer Seite hat.

Tipp:
Zum Schluss ist ein Countdown von 10 nach 0 besonders aktivierend.

Dauer: Insgesamt ca. 7 Minuten

Ritter, Drache, Burgfräulein (Schnick, Schnack, Schnuck)

Zwei Gruppen von Teilnehmern stellen Figuren pantomimisch dar und nach dem Schnick-Schnack-Schnuck-Prinzip schlägt eine Figur die andere.

Sie benötigen:
nichts

Durchführung:
Sie zeigen zuvor pantomimisch, wie die Figuren darzustellen sind (denken Sie sich etwas Lustiges aus, was aber nicht zu albern ist), und erläutern, welche Figur eine andere „besiegt":
- Der Ritter ersticht den Drachen.
- Der Drache frisst das Burgfräulein.
- Das Burgfräulein betört den Ritter.

Die Teilnehmer bilden zwei Gruppen und stellen sich in einer Reihe gegenüber auf. Jede der Gruppen „rottet" sich zusammen und entscheidet sich für die Darstellung einer der drei Figuren (Ritter, Drache, Burgfräulein), ohne dass die andere Gruppe dies hört.

Auf Ihr Kommando gehen die Teilnehmer aufeinander zu und stellen alle gleichzeitig ihre Figur dar.

Besiegt eine Figur die andere, erhält die Gruppe einen Punkt. Die Gruppe, die zuerst 3 Punkte gesammelt hat, ist der Sieger.

Dauer:
ca. 10 Minuten

Ball von Flasche schnippen

Einen Tischtennisball im Vorbeilaufen von einer Flasche schnippen – hört sich einfacher an, als es ist …

Sie benötigen:
Eine leere Flasche (am besten aus Plastik), einen Tischtennisball oder einen anderen ähnlich kleinen Ball.

Einen großen Raum oder Flur, in dem ein freier Tisch so steht, dass man an ihm seitlich vorbeilaufen kann.

Durchführung:
- Stellen Sie die Flasche auf den Tisch und legen Sie den Tischtennisball oben auf die Öffnung der Flasche. Die Teilnehmer positionieren sich in mindestens 3 Metern Abstand von der Flasche hintereinander in einer Reihe.

- Der Erste läuft zügig los und streckt dabei den Arm aus, der zur Tischseite zeigt. Es ist wichtig, dass mit bereits ausgestrecktem Arm losgelaufen wird. Währenddessen hält dieser Daumen und Zeigefinger in „Schnipphaltung". Wenn er an der Flasche vorbeikommt, versucht er im Laufen (nicht kurz stehen bleiben oder langsamer laufen!) mit ausgestrecktem Arm den Ball von der Flasche zu schnippen.

- Jeder hat drei Versuche, wer den Ball herunterschnippt, sorgt dafür, dass der Ball wieder auf die Flasche kommt.

Tipp:
Achten Sie genau auf die Ausführungsregeln und darauf dass es insgesamt zügig vonstattengeht.

Dauer:
ca. 2 Minuten

Zum Thema Aktivierungen sind schon sehr viele Bücher geschrieben und Seminare konzipiert worden. Informieren Sie sich bei Bedarf dazu in der Literaturliste und im Internet. Es macht Spaß, sich von Zeit zu Zeit mit neuen Bewegungsarten für Seminare zu befassen!

7 Wenn nur die Teilnehmer nicht wären: Umgang mit schwierigen Seminarsituationen

„Nicht nur schwierig, auch noch bescheuert!" Provokanter kann man ein Kapitel wohl kaum beginnen. Der Satz steht auf einer Postkarte, die an meiner Pinnwand in meinem Arbeitszimmer hängt. Eine sehr enge Freundin und Trainerkollegin hat sie mir geschenkt (*„Puh, so gerade noch mal herausgeredet"*), mit einem breiten Grinsen im Gesicht, das sagt: *„Die passt doch wie die Faust aufs Auge zu der Situation, von der du vorgestern erzählt hast, oder...?"* Ja, es gibt Situationen mit einzelnen oder mehreren Teilnehmern, da fragt man sich, wie das passieren konnte, zwingt sich, ruhig zu bleiben, oder möchte jemanden einfach mal vor die Tür setzen. Und sie sind Gott sei Dank eher selten. Und das Wichtigste ist – solche Situationen haben immer etwas mit zwei Sichtweisen und Wahrheiten zu tun – meinen eigenen und denen meines Gegenübers. Sie ahnen schon, dass hier die Lösung vieler schwieriger Situationen liegt. Denn schwierige Teilnehmer gibt es genauso wenig, wie es den Weihnachtsmann gibt – es ist alles eine Sache des Glaubens.

In diesem Kapitel möchte ich Sie anregen, das Thema schwieriger Situationen aus einem bestimmten Blickwinkel zu betrachten. Außerdem schildere ich Ihnen einige meiner Erfahrungen im Umgang damit und hoffe, dass Sie daraus Anregungen für Ihre Situationen bekommen können. Denn eines ist klar: Mit diesen Situationen sollten Sie auf jeden Fall rechnen, was daraus wird, liegt zum großen Teil auch in Ihrer Hand.

In diesem Kapitel wird es eines nicht geben: eine Teilnehmer-Typologie à la *„der Streitsüchtige, der Aggressive, die Vielschwätzerin, der Ablehnende"* oder, auf die Spitze getrieben, Teilnehmertypen dargestellt als Tiere mit den dazugehörenden Eigenschaften. Solche Typologien kursieren immer noch in dem einen oder anderen Artikel oder Trainerbuch. Aber sie haben, wenn überhaupt, ihre Berechtigung allenfalls für eine sehr prinzipielle Betrachtungsweise, bei der es darum geht, sich grundsätzlich auf grobe Motiv- und Verhaltenskategorien einzustellen. Für einen wertschätzenden, Konflikte entschärfenden und ins Konstruktive mündenden Umgang mit Teilnehmern bedarf es fundierter Modelle, individueller Sichtweisen und Erfahrungen von Trainern.

Neben diesen Modellen und den Erfahrungen lässt sich aber eines schon einmal festhalten: Der eigene Zustand beeinflusst eine Situation im hohen Maße! Wer schon einmal völlig übermüdet, leicht angeschlagen oder mit privaten Problemen ein Seminar gegeben hat, weiß, wovon ich spreche. Wir Trainer tragen Verantwortung dafür, in welchem Zustand wir uns auf unsere Teilnehmer einlassen, was nicht gleichbedeutend damit ist, immer „richtig gut darauf zu sein". Im Gegenteil – ich habe gute Erfahrungen damit gemacht, auch mal etwas Persönliches im Seminar öffentlich zu machen.

In einem mir noch sehr präsenten Beispiel war es so: Nachdem ich das für mich schwierige Thema und meine Stimmung dazu geäußert hatte, begann ein regelrechtes „Stimmungs-Outing" der Teilnehmer. Anschließend konnte die gesamte Gruppe wieder produktiv arbeiten. Ob Sie das Verhalten allerdings als eine Lösung für sich in Betracht ziehen, hängt wiederum eng mit Ihrer Persönlichkeit zusammen. Darum wird dieses Thema einen der Schwerpunkte in diesem Kapitel bilden.

7.1 Die „Hypnose schwieriger Teilnehmer"

Mir liegt sehr viel daran, Lösungen für Probleme zu finden. Ich bevorzuge es einfach, mich nicht lange aufzuregen, sondern mit unterschiedlichen Ideen eine schwierige Sache (wieder) nach vorne zu bringen oder in Luft aufzulösen – was im Idealfall gelingt. Dies entspricht wohl meiner Persönlichkeit und doch war das nicht immer so. Dazu aber später mehr! Wenn man mit dieser Haltung an das Thema des Kapitels herangeht, ist es nahezu undenkbar, dass es schwierige Menschen/ Teilnehmer geben könnte. Denn mit diesem Gedanken bekommt man keine Lösungen oder Ideen. Wenn Menschen nun mal so sind, wie sie sind (also sowohl ich als auch mein Gegenüber), dann kann niemand daran etwas ändern und das Problem bleibt bestehen. Daraus ergeben sich keine Handlungsmöglichkeiten, außer mich weiterhin darüber aufzuregen.

Was könnte man also stattdessen denken und tun? Das, was so mancher nicht gewohnt ist zu denken und deshalb zunächst Schwierigkeiten bereitet:

Es gibt Menschen und es gibt deren Verhalten. Ein erster Ansatz ist es also, zwischen der Person und ihrem Verhalten zu trennen: „Es gibt keine schwierigen Menschen, sondern nur schwieriges Verhalten."

Das ist solches, das es mir schwierig macht, weil ich etwas ganz anderes für richtig und hilfreich halte. Außerdem habe ich sowohl aktuell als auch grundsätzlich im Leben andere Bedürfnisse als mein Gegenüber. Dieser Konflikt zwischen den unterschiedlichen Bedürfnissen und den daraus resultierenden Verhaltensweisen macht es für uns schwierig und schnell kommt da der Gedanke auf: *„Wie kann man nur so wie XY sein?"* Das ist zwar menschlich, aber wenig hilfreich. Der Gedanke zeigt allerdings, dass man sich gerade genau in einem *„Ich möchte es so, der andere aber will es anders"*-Thema befindet, und das ist ein guter Hinweis für eine Lösung.

Bevor ich Sie nun dazu einladen möchte, sich damit ein wenig genauer zu befassen, werfen wir doch einmal einen Blick auf die **Liste der Top 10 der schwierigen Situationen.**

Übrigens, ich kann Ihnen leider nicht mit einer vom Publikum gewählten Reihenfolge dienen, die Reihenfolge meiner Top 10 ist beliebig. Beachten Sie beim Durchlesen einmal, ob Sie tatsächlich damit Erfahrung gemacht haben oder es sich nur um eine Befürchtung handelt.

Die Top 10 der schwierigen Situationen

1 Ein Teilnehmer redet immer wieder in den Vortrag hinein, stellt Fragen, kommentiert aus seinem Erfahrungsschatz, korrigiert den Trainer.

2 Ein oder mehrere Teilnehmer wollen eine Übung nicht machen.

3 Ein Teilnehmer greift einen anderen an.

4 Ein Teilnehmer redet immer wieder ohne Punkt und Komma, wenn er an der Reihe ist, und findet kein Ende.

5 Ein Teilnehmer hinterfragt beständig den Inhalt, die Art der Übungen etc., nach dem Motto „Was soll denn der Quatsch?".

6 Alle oder ein Teil der Teilnehmer langweilen sich und machen nicht oder nur unter Protest mit.

7 Kaum jemand lächelt während des gesamten Seminars (ja, ich finden das wirklich schwierig!).

8 Einige Teilnehmer kommentieren fast alles witzig und quatschen andauernd miteinander.

9 Jemand fängt an zu weinen.

10 Jemand verlässt immer wieder den Raum (um zu telefonieren oder ein Gespräch vor der Tür zu führen).

Welche Situation fehlt Ihnen noch? Welche haben Sie tatsächlich schon erlebt oder davon gehört, dass sie jemand erlebt hat? Welche befürchten Sie am meisten? Ich habe jede schon erlebt, die meisten davon aber eher selten in vielen Trainerjahren. Ich komme später noch einmal auf diese Liste zurück. Nun wenden wir uns erst wieder den Bedürfnissen und Verhaltensweisen zu.

7.2 Gesunder Menschenverstand und professionelle Menschenkenntnis

Wenn Sie sich (nicht nur) als Trainer professionell mit der Lösung schwieriger Situationen befassen möchten, sind zwei Fähigkeiten aus meiner Sicht besonders wichtig:

Perspektivübernahme und Einfühlungsvermögen

In Kombination ermöglichen sie Ihnen vor allem eines: schwierige Situationen erst gar nicht entstehen zu lassen, indem Sie Konfliktpotenzial erkennen und diesem möglichst keinen Raum geben, sich auszubreiten. Aber auch wenn das Kind schon in den Brunnen gefallen ist, helfen sie Ihnen, der Situation professionell zu begegnen. Was genau ist nun mit diesen beiden Begriffen gemeint?

- **Perspektivübernahme** meint die Fähigkeit, sich in die Position eines anderen hineinzuversetzen und zu versuchen, die Welt aus dessen Sicht zu sehen. Etwas locker formuliert meint Perspektivübernahme also die Fähigkeit zu erkennen, dass und wie andere anders denken und bewerten, als ich es tue, dies aber nicht zu bewerten, sondern im Zweifel stehen lassen zu können. Es bedeutet **nicht**, die **Unterschiede gut zu heißen**, selbst zu mögen und gar danach zu handeln! Letzteres gilt auch nicht für empathisches Handeln.
- **Einfühlungsvermögen** oder auch **Empathie** (griech. „empatheia" für „Einfühlung") zu zeigen, bedeutet aber etwas mehr, als nur die Perspektive zu übernehmen: Hier geht es darum, über das Verstehen hinaus tatsächlich **nachempfinden** zu können, was im anderen gerade vorgeht.

MIT EMPATHIE IST MAN OFFEN FÜR WÜNSCHE, SORGEN, GEFÜHLE VON ANDEREN MENSCHEN.

Erkennbar ist diese Fähigkeit z.B. daran, ob und wie jemand seinem Gegenüber zuhört. Missverstanden wäre Empathie, wenn sie sich nur in Richtung Trost, Unterstützung bei Trauer und Sorgen äußern würde, wie sie häufig zunächst verstanden wird. Empathie hat aber vielmehr mit allgemeinem „Verständnis" zu tun – und dies auch für solche Eigenschaften oder Verhaltensweisen, die einem selbst mitunter weniger sympathisch oder hilfreich erscheinen. In der Praxis bedeutet das zum Beispiel Verständnis für Schadenfreude, Unentschlossenheit, Unpünktlichkeit oder langsameres Handeln eines anderen zu haben, anstatt jemand ändern zu wollen. So ist der empathisch, der zu verstehen versucht, was den anderen antreibt, motiviert und geprägt hat.

Für beide Fähigkeiten ist es hilfreich, Menschenkenntnis zu besitzen, auf Basis derer wir uns die Welt des anderen zu eigen machen können. Jeder Mensch braucht Erfahrungen mit anderen, um daraus Dinge ableiten zu können und so gut miteinander umgehen zu können. Diese Art der Menschenkenntnis, unser so genannter gesunder Menschenverstand, beruht allerdings eher auf dem ersten Eindruck. Dieser soll uns vor allem vor Gefahren schützen und uns Orientierungshilfe im Umgang miteinander geben. Leider stellt sich der erste Eindruck oft als falsch heraus, weil er auf Klischees und Vorurteilen basiert und weniger auf beobachtbaren Tatsachen. Um mit schwierigen Situationen aus der professionellen Rolle eines Trainers umgehen zu können, bedarf es mehr, wie etwa einer Systematik menschlichen Verhaltens. Dies können Persönlichkeitsmodelle leisten, von denen zahlreiche Modelle entwickelt wurden. Mit ihrer Hilfe kann menschliches Verhalten systematischer beschrieben werden, als es der oft unreflektierte gesunde Menschenverstand tut.

Alle **Persönlichkeitsmodelle** gehen im weitesten Sinne der Frage nach: „In welcher Weise und auf welchen Dimensionen unterscheiden sich Menschen voneinander und was bedeutet dies für das Individuum und dessen Zusammenleben mit anderen?" Grundlage bilden dabei zum einen bestimmte Temperamente und daraus resultierende bevorzugte Verhaltensweisen. Viele Ansätze erklären die Persönlichkeit zudem über die Denk- und Erlebnismuster und die Grundbedürfnisse von Menschen und über das, wodurch Menschen besonders motiviert werden.

Einige Modelle beruhen auf einer Dreiteilung von Persönlichkeiten und deren Verhalten wie das Structogramm®, welches die drei Gehirnbereiche des Menschen als Basis nimmt. Oft kommt auch eine Vierteilung vor, wie es beim DISG-Modell der Fall ist. Andere beziehen weitere Aspekte wie z.B. die Wahrnehmung der Umwelt oder die Grundlage der Entscheidung von Menschen mit ein, wie etwa der Myers-Briggs Type Indicator®, kurz MBTI® – hier ergeben sich insgesamt 16 unterschiedliche Kombinationen. Die so genannten Reiss-Profile beschäftigen sich vor allem mit Inhalt, Art und Wirkung von Motiven. Das Reiss-Profil definiert die 16 Motive, mit denen man das Verhalten von Menschen erklären und voraussagen kann. So weit einige Beispiele für bekannte Persönlichkeits- und Interventionsmodelle. Aus dem NLP (Neurolinguistisches Programmieren) bieten die so genannten Sortier-Stile, auch Meta-Programme genannt, hilfreiche Hinweise auf den Umgang mit menschlichen Bedürfnissen und Verhaltensweisen. Sie würdigen einerseits anderer Denkweisen und dienen der Prophylaxe von Widerständen. Wenn Sie tiefer in dieses Thema oder in eines der Modelle einsteigen möchten, empfehle ich Ihnen einen Blick auf die Literaturliste am Ende.

BIS AUF DAS NLP GEHEN ALLE ERWÄHNTEN MODELLE DAVON AUS, DASS MENSCHLICHES VERHALTEN IN ABGRENZBARE UND STABILE CHARAKTERMERKMALE EINTEILBAR UND SYSTEMATISIERBAR IST.

Der nomothetische Ansatz wird natürlich auch kritisch diskutiert. Das Gegenteil, der idiografische Ansatz, nimmt an, dass jeder Mensch seine individuellen Charaktermerkmale hat, welche nicht mit allgemeinen Schablonen erfasst werden können. Ich schätze aufgrund meiner langen Kenntnis und dazugehöriger Erfahrungen die mir bekannten Modelle für den beruflichen und privaten Gebrauch im Umgang mit anderen Menschen sehr. Oft habe ich die Erfahrung gemacht, dass mir systematische Kenntnisse um grundlegende Bedürfnisse und menschliches Verhalten zu mehr Gelassenheit, passenden Reaktionen, größerem Verständnis füreinander verholfen haben. Gute Gründe, sich mit einem Modell näher zu befassen ...

7.3 „Wie kann man nur ...?" – Bedürfnisse, Motive und Ängste (er)kennen mithilfe von Persönlichkeitsmodellen

„Wer Menschenkenntnis besitzt, ist gut.
Wer Selbsterkenntnis besitzt, hat Aussicht auf Erleuchtung."

Chinesisches Sprichwort

Zugegeben, ich hatte zu Beginn meiner Trainertätigkeit großes Glück, ein gutes Händchen für die Auswahl meines Arbeitgebers oder beides! Denn dieser hat mir ja nicht nur eine suggestopädische Trainerausbildung zugutekommen lassen, sondern mich auch in die „Geheimnisse" menschlicher Persönlichkeiten eingeweiht. Das war natürlich weniger mysteriös und geschah vielmehr auf Basis eines an DISG angelehnten Modell, welches mein damaliger Vorgesetzter in eigenen Weiterbildungen kennen und anwenden gelernt hatte. Der Vollständigkeit halber sei hier kurz einiges zur Entstehung des Originals erwähnt:

Das DISG-Modell beruht auf der Arbeit des Psychologen William Marston (1930). Er beschäftigte sich in seinen Studien im Gegensatz zu den damals bekannten Modellen einiger Psychoanalytiker wie C. G. Jung oder F. Riemann nicht mit klinisch kranken Persönlichkeiten, sondern mit gesunden Menschen. Er gebrauchte ein zweiachsiges Vierquadranten-Modell, um vier verschiedene Verhaltensstile zu kennzeichnen. Der Verhaltenspsychologe John Geier (Universität Minnesota) entwickelte auf der Basis von Marstons Arbeit eine Methode, die eine individuelle Anwendung ermöglicht. Diese Methode liegt dem DISG®-Persönlichkeitsprofil zugrunde (geschützte Marke von Inscape Publishing Inc.), welches z.B. in vielen Unternehmen angewendet wird (*Vgl.: Friedbert Gay, DISG-Persönlichkeitsprofil*); man kann auch einen Test käuflich erwerben und sich als Trainer lizensieren lassen.

Ich kenne es seit nunmehr 13 Jahren und kann sagen: Es ist einfach zu verstehen, überschaubar und daher leicht zu merken, man findet sich im hohen Maße wieder und vor allem: Es hilft! Es zeigt auf, in welchen Situationen und mit welchem Verhalten wir am effektivsten sind, weil es uns entspricht, worin unsere Engpässe bestehen und welche Motive und Ängste uns treiben. Damit kann es auch aufzeigen, wie Menschen effektiv zusammenarbeiten und zu welchen Herausforderungen es aufgrund der Unterschiede kommen kann. Na, neugierig geworden? Dann kommen nun die Details.

Die vier Verhaltenstendenzen des Persönlichkeitsmodells

In dem Modell werden zwei Komponenten und deren Ausprägung betrachtet:

1. Wie reagieren Menschen aufgrund ihrer inneren Einstellung auf ihr Umfeld?

Dies zeigt sich in den Ausprägungen:
- eher aktiv / extrovertiert / Vorliebe für Wechsel
  und
- eher passiv / introvertiert / Vorliebe für Beständigkeit

2. Woher holen sie sich ihre Energie und worauf lenken sie deshalb ihre Aufmerksamkeit?

Dies zeigt sich in den Ausprägungen:
- Menschen
  und
- Aufgaben

Daraus ergeben sich vier Persönlichkeitstendenzen, die in Quadrantenform dargestellt sind. Den einzelnen Tendenzen sind Farben zugeordnet, die, wie Sie später
merken werden, sehr gut zu typischen Verhaltensweisen passen.

Wichtig ist, dass **keine dieser Persönlichkeitstendenzen in Reinkultur an-
zutreffen** ist – wir sind immer eine **Mischung** aus allen vieren. Oft jedoch sind ein
bis zwei der Tendenzen stärker vertreten, manchmal ist nur eine weniger ausgeprägt. Außerdem ist das Modell nicht in Stein gemeißelt, das heißt: Wenn Sie sich
später noch einmal mit dem Thema befassen, kann es sein, dass sich die eine oder
andere Tendenz zugunsten einer anderen verschoben hat – je nach Lebenssituation,
den damit verbundenen Präferenzen, Aufgaben etc. Selten wird jemand sehr Zu-
rückhaltendes jedoch später komplett zur „Bühnensau" und umgekehrt.

Werfen Sie nun einen ersten Blick auf die grundsätzlichen Ausrichtungen und
lesen Sie sich die Aussagen aller Farben zunächst einmal durch.

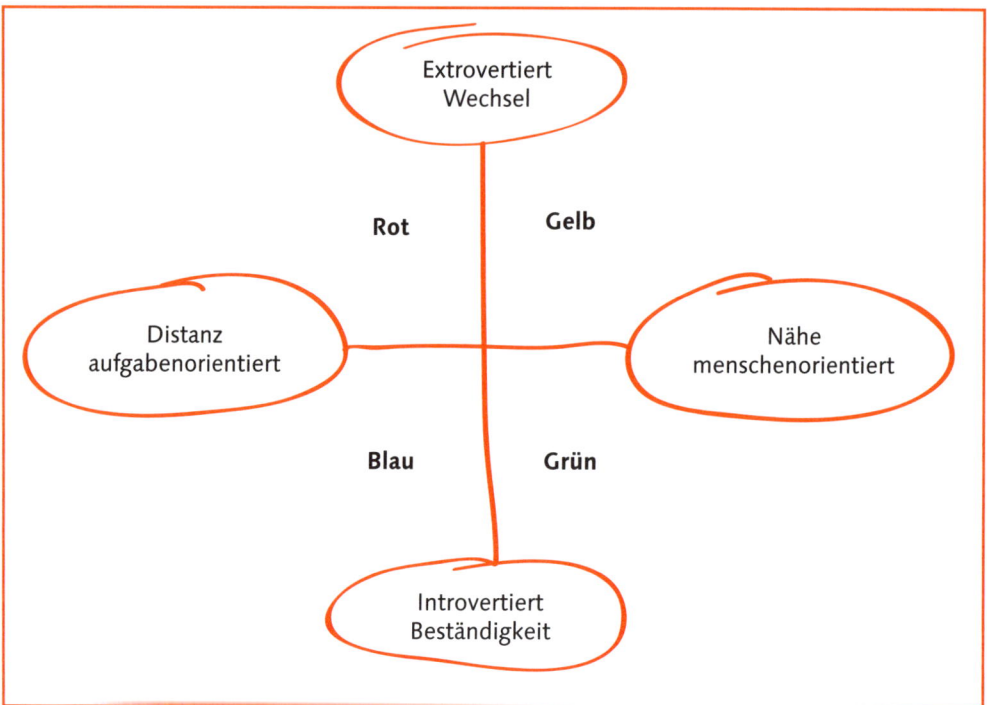

Die vier Persönlichkeitstendenzen

Was macht nun diese vier Persönlichkeitstendenzen im Besonderen aus? Dazu folgen auf den nächsten Seiten Kriterien- bzw. Fragenkataloge, mit denen Sie sich testen können. Eine Bitte: Haken Sie im ersten Schritt aber noch **nichts** an, sondern
entwickeln Sie beim Lesen erst einmal ein Gefühl für die Tendenzen und ihre Vorlieben und Abneigungen.

ROT

Orientierung an Aufgaben, Vorliebe für Wechsel, eher extrovertiertes Verhalten

Vorlieben ✓

- Mag Menschen, die gleich zu Sache kommen und direkt sind.
- Trifft gerne schnelle Entscheidungen.
- Liebt Herausforderungen, packt Probleme aktiv an.
- Erkennt schnell das Wesentliche.
- Zielt auf Ergebnisse, setzt sich Ziele.
- Weiß, was er will, und setzt sich auch dafür ein.
- Übernimmt gerne das Kommando, hat gerne die Kontrolle.
- Mag Veränderung und Abwechslung.
- Mag Neues, Besonderes, hebt sich gerne ab.
- Liebt Wettbewerb und Risiko.
- Kann gut Nein sagen.
- Mag seine Unabhängigkeit.

Mag nicht ✓

- wenn Menschen zu viel reden,
- unterhalten zu werden,
- Anweisungen zu bekommen,
- sich um Details zu kümmern,
- unterfordert zu sein,
- sich zu viel zu organisieren und
- auf andere angewiesen zu sein.

Wirkt in extremer Ausprägung auf die anderen Farben oft:

unhöflich, überfahrend, oberflächlich, dominant, aggressiv

Anzahl der Haken: ___

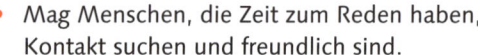

GELB

Orientierung an Menschen, Vorliebe für Wechsel, eher extrovertiertes Verhalten

Vorlieben ✓

- Mag Menschen, die Zeit zum Reden haben, Kontakt suchen und freundlich sind.
- Unterhält gerne andere, ist perfekter Smalltalker.
- Arbeitet gerne in einer Gruppe.
- Ist spontan und liebt die Abwechslung, springt gerne in Themen.
- Schafft Atmosphäre, ist begeistert und begeistert andere.
- Ist eher optimistisch.
- Steht gerne im Mittelpunkt.
- Ist verbal sehr versiert, drückt sich klar aus.
- Kann Gefühle gut und offen mitteilen.

Mag nicht ✓

- wenn Menschen unhöflich und distanziert sind,
- wenn Menschen sich zurückhalten und kühl wirken,
- sich um zu viele Details und Routinen zu kümmern,
- kontrolliert zu werden,
- eine zu sachliche Atmosphäre und zu viele Zahlen und Fakten.

Wirkt in extremer Ausprägung auf die anderen Farben oft:

oberflächlich, geschwätzig, empfindlich, unkonzentriert, ausschweifend, emotional

Anzahl der Haken: ___

GRÜN

Orientierung an Menschen, Vorliebe für Beständigkeit, eher introvertiertes Verhalten

Vorlieben ✓

- Mag Menschen, die in Gesprächen das Persönlich-Menschliche betonen.
- Liebt eine gute, lockere Gesprächsatmosphäre.
- Möchte gehört werden mit dem, was ihm oder ihr wichtig ist.
- Will echte ernsthafte Wertschätzung und Anerkennung erfahren.
- Hilft gerne anderen.
- Mag es, mit Menschen zu arbeiten, die gut miteinander auskommen.
- Mag ein stabiles und organisiertes Umfeld.
- Mag es, Teil von etwas zu sein, anstatt zu führen.
- Ist ein guter Zuhörer und vermittelt zwischen Menschen.
- Erledigt Aufgaben zuverlässig, kann sich darauf konzentrieren.
- Entwickelt spezialisiertes Können (ohne dies besonders hervorzuheben).
- Will Dinge in Ruhe und Stück für Stück erledigen.
- Mag seine Unabhängigkeit.

Mag nicht ✓

- wenn Menschen keine Rücksicht nehmen,
- Veränderungen, bevor er oder sie sich damit arrangiert hat,
- Veränderungen ohne Begründung,
- wenn Menschen zu sehr auf Ergebnisse drängen,
- Konfliktsituationen allgemein und insbesondere, diese aktiv lösen zu müssen,
- unklare oder unstrukturierte und unvorhersehbare (Arbeits-)Situationen.

Wirkt in extremer Ausprägung auf die anderen Farben oft:
unsicher, empfindlich, weich, emotional, ausnutzbar, naiv, folgsam

Anzahl der Haken: ___

BLAU

Orientierung an Aufgaben, Vorliebe für Beständigkeit, eher introvertiertes Verhalten

Vorlieben

- Mag Menschen, die ruhig und höflich sind und sich diplomatisch verhalten.
- Mag Menschen, die Dinge tun, die sinnvoll sind.
- Bevorzugt eine sachlich-höfliche Atmosphäre.
- Liebt es, klar zu denken, und mag Menschen, die dies auch tun.
- Mag Zahlen und Fakten.
- Wägt Dinge in Ruhe anhand von Fakten ab, ist objektiver als andere.
- Mag es, Dinge in Ruhe zu tun.
- Bezieht sich gerne auf Bewährtes.
- Mag klar definierte Vorgaben und Erwartungen.
- Hat hohe Qualitätsansprüche und arbeitet gern mit Menschen, die diese auch haben.
- Liebt es, Dingen auf den Grund zu gehen und diese gründlich zu analysieren.

Mag nicht ✓

- wenn andere (spontane) Gefühlsregungen erwarten,
- halb fertige Aufgaben abliefern müssen und bekommen,
- oberflächliches Arbeiten und Reden,
- im Gespräch von hier nach dort zu springen,
- zu allgemeine Aussagen,
- Reden um des Redens willen, ohne Qualitätsanspruch,
- für Fehler haftbar gemacht und kritisiert zu werden,
- wenn andere zu optimistisch reagieren,
- wenn Menschen wenig kalkulierbar sind,
- schnelle Entscheidungen treffen zu müssen, wenn Dinge noch neu bzw. unbekannt sind.

Wirkt in extremer Ausprägung auf die anderen Farben oft:

kühl, empfindlich, pedantisch, opportunistisch, kritisch, auf Prinzipien reitend

Anzahl der Haken: ___

Aufgabe

Gehen Sie nun die Eigenschaften aller Farben noch einmal durch und haken Sie an, was auf Sie zutrifft. Zutreffen heißt hier, was tatsächlich in den meisten Fällen zutrifft und nicht nur einmal im Monat. Gemeint ist es eher im Sinne einer klaren Richtung. Bitte haben Sie beim Anhaken diese beiden Fragen im Hinterkopf:

- bezüglich der beschriebenen Vorlieben: „Ist mir das wirklich wichtig?"
- bezüglich der beschriebenen Abneigungen: „Ist mir dies tatsächlich ziemlich unangenehm?"

Tragen Sie anschließend unter der Farbe die Anzahl Ihrer Haken ein. Sie gibt Ihnen einen Hinweis darauf, wie stark das Verhalten und die Vorlieben dieser „Farbe" bei Ihnen vertreten sind.

Nochmal: Es gibt übrigens **keine** Menschen, die nur der Beschreibung **einer** Farbe entsprechen! Wir sind immer eine Mischung aus mehreren Vorlieben und Verhaltensrichtungen, es geht vielmehr um die jeweilige Ausprägung!

Wie schaut nun Ihr Ergebnis aus? Treffen die Aussagen von ein bis zwei der Farben besonders zu? Entspricht Ihnen eine der Farben fast überhaupt nicht? Wie sind die Farben verteilt?

Lassen Sie sich außerdem auch von jemandem einschätzen, der Sie gut kennt, und vergleichen Sie Ihre Selbst- und Fremdwahrnehmung. Wichtig ist, dass Sie ehrlich zu sich sind und nicht danach entscheiden, was besser wäre oder toll klingt.

Beachten Sie bitte, dass das Ergebnis Ihrer Haken **keinem** Psychotest entspricht. Es soll Ihnen nur einen Hinweis in die **Richtung** Ihres bevorzugten Stils geben! Daran können Sie erkennen, welche Situationen Ihnen im Seminar womöglich Stress bereiten werden und deshalb für Sie schwierig erscheinen.

Wenn beispielsweise ein eher introvertierter, sehr auf Höflichkeit ausgelegter Trainer auf einen extrovertierten, laut sprechenden und ständig Witze reißenden Teilnehmer trifft, wird das mit großer Wahrscheinlichkeit Stress beim Trainer auslösen. In den meisten Fällen wollen Teilnehmer eines Trainerseminars hier wissen, wie sie den „Störenfried" still bekommen. Dies ist meines Erachtens der falsche Ansatz, zeigt er doch, dass man vor allem möchte, dass der andere so ist wie man selbst. Mit der Kenntnis der Verhaltenstendenzen können Sie auf solche Situationen schon viel gelassener reagieren, weil Sie die Vorlieben des Teilnehmers erkennen und ihnen mit Verständnis statt mit „Wie kann man nur so sein?" begegnen.

Wie das genauer funktioniert, lässt sich gut an einem alltäglichen Beispiel veranschaulichen: Wie sagt einer meiner Freunde immer, wenn ich beim Telefonat nicht nur die harten Fakten nenne, sondern in meinen Plauderton verfalle: *„Ach die Anke, na klar, gerade mal wieder besonders gelb"*, und wir müssen beide lachen. Sie ahnen schon, dass er diese Farbe eher wenig in seinem Persönlichkeitsprofil hat.

Anschließend kann er entscheiden, ob er sich trotzdem darauf einlassen mag und Lust auf ein wenig Smalltalk hat oder ob ich ihm diesmal entgegenkomme und nur kurz das Anliegen meines Anrufes nenne. Wichtig ist, dass ich in dieser Situation nicht verletzt bin, weil er nicht mit mir reden will, und er nicht genervt ist, dass ich es gerne tun würde.

! Tipp 1:

Für den Umgang mit schwierigen Situationen ist es zunächst entscheidend zu wissen, wo man selbst steht: Welchen Verhaltensstil bevorzuge ich eher und was ist mir wichtig? Was mag ich eher nicht, womit fühle ich mich unwohl?

Motivationsstruktur und Ängste

Ich habe die Erfahrung gemacht, dass mir für den Umgang mit schwierigen Situationen außerdem die Kenntnis um die Motivationsstruktur und die Ängste der unterschiedlichen Persönlichkeitstendenzen hilft. Beide verschaffen mir ein tieferes Verständnis für das Verhalten anderer und zeigen Handlungsalternativen im Umgang miteinander auf. Wenn ich weiß, was jemandem wichtig ist und was er vermeiden möchte, kann ich mich gezielt darauf einstellen oder denjenigen darauf vorbereiten, dass es nun ggf. etwas „ungemütlich" wird. Dies tue ich z.B. immer bei introvertierten Teilnehmern in meinen Stimmseminaren, wenn es darum geht, körperlich etwas aus sich herauszugehen. Für mich („viel Gelb") ist das der reine Spaß, für „Blau" im Besonderen eine große Überwindung. Es ist aber leider notwendig, wenn man tatsächlich etwas spüren möchte. Ich lasse es im Zweifel offen und zwinge niemanden mitzumachen, mache aber auch klar, dass ohne Überwindung in diesem Fall kaum etwas dazugelernt werden kann.

Betrachten Sie die nachfolgende Tabelle:
- Wo erkennen Sie sich wieder?
- Erkennen Sie Menschen in Ihrem Umfeld wieder?
- Erklärt es Ihr eigenes Verhalten in mancher Situation und das anderer?

	Motivationen	Ängste und Frustration
Rot	• Herausforderungen • Risiken • Abwechslung • Ansehen • Kontrolle der Situation • persönliche Erfolge • Aktivität	• an Routine gebunden zu sein • Stillstand • Kontrollverlust • eingeschränkte Verantwortung • wenig Aufstiegschancen • kontrolliert werden • schwach zu wirken • gefühlsduselig zu wirken • ausgenutzt zu werden

	Motivationen	Ängste und Frustration
Gelb	• Optionen • Spaß • Anerkennung • positiver Kontakt • Gefühle ausdrücken können • Gedankenaustausch • Veränderungen, Neues	• Verlust von Anerkennung • Schuldzuweisung • dass andere ihm böse sind • persönlich nicht gemocht zu werden • unfreundliches Umfeld • Pessimismus • Routine mit Kontrolle • öffentlicher Gesichtsverlust • reine Sachlichkeit ohne Gefühle
Grün	• konstruktiv und ohne Spannungen mit anderen arbeiten • andere mit Wissen oder Dienstleistung unterstützen • lockere und harmonische Arbeitsatmosphäre • Schätzen von loyalem Verhalten • sicherer und stabiler Arbeitsplatz • reibungslose Abläufe, in denen sich jeder einbringt • Gerechtigkeit	• Unklarheit, ohne Orientierung zu sein • instabile Situationen • zu schnelle Veränderung • Konflikte aktiv angehen müssen • Verlust an Sicherheit • mangelnde Unterstützung • wetteifernde und aggressive Situationen • unklare oder wechselnde Erwartungen an die Leistung • „egoistische" Kollegen oder Vorgesetzte
Blau	• Qualität und die Kontrolle dieser • logisches und systematisches Vorgehen • im Recht sein und recht behalten können • belohnt zu werden für korrektes und genaues Verhalten • Spezialwissen zeigen und anwenden können • Zeit bekommen • sich vorbereiten können • Genauigkeit und Wertschätzung dieser Vorliebe	• Wechsel von Regeln und Erwartungen • fachliche Kritik • Veränderungen, die die eigene Leistung gefährden könnten • über Privates reden müssen • spontane Gefühlsäußerungen • schnell entscheiden müssen • gezwungene Geselligkeit • keine Arbeitsmittel, um gut arbeiten zu können • nicht seinen eigenen Qualitätsansprüchen genügen können/dürfen

! Tipp 2:

Behalten Sie immer die Motive und Ängste von Menschen im Hinterkopf und fragen Sie sich. „Was ist dieser Person grundsätzlich wichtig und was befürchtet sie?" Diese Frage hilft einerseits präventiv und insbesondere dann, wenn eine Situation schwierig zu werden scheint, denn sie erklärt das Verhalten und zeigt Ihnen den Weg zur Lösung auf.

7.4   Anpassungsfähigkeit entwickeln

„Wenn es ein Geheimnis des Erfolges gibt, dann ist es das:
Den Standpunkt des anderen zu verstehen und die Dinge mit seinen Augen zu sehen."

Henry Ford

7.4.1 Verhaltenssignale wahrnehmen und präventiv agieren

Nun, da Sie wissen, in welche Richtung Sie tendieren, geht es im zweiten Schritt darum, aus den Erkenntnissen über die Persönlichkeitstendenzen konkrete Handlungen abzuleiten: Was bedeutet es, wenn ich weiß, dass es Menschen gibt, denen es wichtig ist, sich kurz und knackig zu fassen? Was habe ich davon zu erkennen, dass einer meiner Teilnehmer es bevorzugt, Dingen auf den Grund zu gehen, und er es als besonderen Gesichtsverlust ansieht, auf einen Fehler angesprochen zu werden usw.? Sie können dieses Wissen nutzen, um

- es mit den eigenen Vorlieben abzugleichen,
- mögliche Probleme vorwegzunehmen oder „vorzudenken", die dadurch für Sie und die Teilnehmer entstehen könnten,
- zu überlegen, wie Sie Bedürfnissen Ihrer Teilnehmer entgegenkommen können,
- zu erkennen, an welcher Stelle Sie dies nicht tun wollen und aus welchen Gründen,
- sich zu überlegen, wie Sie bei Problemen vorgehen werden, die dadurch entstehen könnten.

Sie merken schon beim Lesen, dass **Prävention** wie so oft die beste Lösung ist. Ein Problem gar nicht erst entstehen zu lassen, ist für alle eine entspannte Lösung. Mit Ihren Beobachtungen im Verlauf des Seminars, innerhalb der Gespräche oder Gruppenarbeit und mit Ihrem Wissen können Sie vermittelnd und konfliktlösend eingreifen.

Voraussetzung dafür ist eine gute Wahrnehmung der Verhaltensstile, und das lernt man sicherlich nicht von heute auf morgen. Aber es braucht auch kein jahrelanges Beobachtungstraining, um dieses Modell im Alltag zu leben. Die **nonverbale Kommunikation** von Menschen, also ihre Körpersprache und ggf. noch ein paar Aspekte darüber hinaus – geben Ihnen schon erste Aufschlüsse darüber, in welche Richtung es bei Ihren Teilnehmern geht.

Übung

Bitte tragen Sie hinter den beschriebenen Situationen die Farbe(n) ein, die Sie für zutreffend halten.

Die Grundsituation:

Es ist Herbst, 8.20 Uhr und Ihr Seminar beginnt um 8.30 Uhr. Sie befinden sich seit ca. 20 Minuten im Seminarraum. Diesen haben Sie bereits eingerichtet mit einem Stuhlkreis für 14 Personen, in der Mitte liegen Namensschilder mit Stiften, es läuft eine lockere Musik im Hintergrund, ein Büchertisch ist eingerichtet, Sie stehen am Flipchartständer und malen noch ein Poster zur Begrüßung der Teilnehmer.

Die ersten Teilnehmer „trudeln" ein ...

1. Frau Schneider bleibt im Türrahmen stehen, lächelt und fragt erst mit leiser Stimme: *„Bin ich hier richtig bei ‚Stimme?'"* Sie bestätigen dies und bitten sie herein, sie jedoch sagt: *„Ach, dann komm ich gleich noch mal wieder, es ist ja noch früh. Draußen gibt es ja Kaffee, hab ich gesehen."* Sie nicken und sagen: *„Ja, gerne",* und Frau Schneider verlässt den Raum und setzt sich im Wartebereich an einen Tisch. Dort greift sie zu den ausliegenden Prospekten und blättert darin ...

Welche Farbe(n) vermuten Sie hier und woran machen Sie das fest? Notieren Sie ...

2. Frau Siegbert, die Sie bereits am klappernden flotten Schritt ihrer Schuhe hören können, betritt als Nächste den Raum und kommentiert: *„Oh, heute mit Musik, machen wir nach dem Mittag auch ein flottes Tänzchen?"* Sie nicken und erwidern lächelnd: *„Wenn die anderen Lust dazu haben, gerne!"* Sie belegt einen der Stühle mit ihrer Tasche und ihrem Strickponcho und beginnt interessiert am Büchertisch zu „kramen". Dabei kommentiert sie das eine oder andere mit kurzem Lachen und Ausrufen wie *„Herrlich", „Nein", „Das glaub ich ja nicht"* und schaut dabei immer wieder in Ihre Richtung. Sie schreiben weiter an Ihrem Poster ...

145

Welche Farbe(n) vermuten Sie hier und woran machen Sie das fest? Notieren Sie …

3. Herr Brekenkamp betritt den Raum, bleibt kurz im Türrahmen stehen, lässt seinen Blick noch einmal durch den gesamten Raum gehen und sagt mit klarer, normal lauter Stimme: *„Aha, ohne Tische – bin ich hier denn richtig bei ‚Die Stimme schonend und wirkungsvoll einsetzen'?"* Sie blicken ihn freundlich an und bestätigen seine Frage. Anschließend fragen Sie ihn: *„Hatten Sie einen Raum mit Tischen erwartet?"*, und Herr Brekenkamp erwidert: *„Ja nun, man muss sich ja auch mal ein paar Notizen machen können zu dem Vortrag, den Sie gleich halten werden."* Sie erklären, dass dazu dennoch Gelegenheit sein wird, und bitten ihn, sich einen Platz auszusuchen. Er fragt, von welchem man denn am besten sehen könne, und Sie antworten, dass dies in diesem Fall tatsächlich nicht relevant sei – Sie würden dazu aber gleich noch etwas sagen. Nach dem Hochziehen einer Augenbraue belegt Herr Brekenkamp einen Platz vorne, um von dort aus den Flipchartständer gut sehen zu können, wie er sagt.

Welche Farbe(n) vermuten Sie hier und woran machen Sie das fest?
Notieren Sie …

4. Herr Schmidt, mit Jeans, unifarbenem Hemd mit Namensschild, gestreifter Krawatte und ohne Jacke bekleidet, betritt 10 Minuten zu spät zügig den Seminarraum, erblickt den noch freien Stuhl und nimmt Platz. Der Aufforderung seines Nachbarn, doch das Namensschild auszufüllen und mit Kreppband am Stuhlbein festzukleben, geht er nur widerwillig und mit dem Kommentar nach: *„Ich trage doch ein Namensschild, das kann man doch lesen."* Er schreibt dennoch sein Schild und stellt es auf den Boden. Anschließend verschränkt er die Arme und schaut Sie direkt an. Sie fragen, ob er Interesse habe, noch einmal zu erfahren, was Sie bereits vorgestellt haben, und er winkt ab mit den Worten: *„Machen Sie mal weiter, wird schon nicht so viel gewesen sein."* Sie kommentieren kurz mit: *„Alles klar"*, und fahren fort mit Ihren Ausführungen …

Welche Farbe(n) vermuten Sie hier und woran machen Sie das fest?
Notieren Sie ...

Alle beschriebenen Situationen sind real so passiert, die Namen sind natürlich frei erfunden! Und wie haben Sie die Übung empfunden?

- Sie fanden das zu einfach? Wunderbar, dann setzen Sie das Modell ja schon hervorragend um und beobachten detailliert.

- Sie fanden es das eine oder andere Mal nicht so eindeutig? Auch gut, denn dies ist immer nur die erste Wahrnehmung, man weiß nie zu hundert Prozent, welche Faktoren das Verhalten hier mitbeeinflusst haben. Weitere Eindrücke müssen und werden hinzukommen und Ihr Bild vervollständigen.

- Sie konnten sich zumindest für introvertiert (also „Blau" oder „Grün") oder extrovertiert (also „Rot" oder „Gelb") entscheiden? Wunderbar, denn dies ist die Ausprägung, die man in der Regel nach wenigen Sekunden feststellen kann und die sich nur selten wieder komplett in die andere Richtung verändert.

Auflösung

Situation	Eigenschaften/Farbe	Beobachtungen und Schlüsse daraus
1	Introvertiert, beständig, braucht Kontakt zu anderen, um sich wohl zu fühlen = „Grün"	Frau Schneider verhält sich zögernd, spricht leise und scheint eher Angst zu haben, den Raum einzunehmen (die Erste zu sein). Sie tritt insgesamt freundlich zurückhaltend auf und nutzt lieber eine Notlüge („Kaffe bekommen"), statt zuzugeben, dass ihr die Situation unangenehm ist.

2	Extrovertiert, im Mittelpunkt, gesprächig, emotional = „Gelb"	Frau Siegbert hat einen schnellen forschen Schritt und trägt „lautes" Schuhwerk. Sie betritt wie selbstverständlich den noch leeren Raum, belegt mit großen Gesten (Handtasche und Poncho) einen Platz für sich und orientiert sich neugierig. Sie zeigt deutlich ihre Emotionen beim Lesen und will den Trainer gerne in ein Gespräch einbeziehen.
3	Eher introvertiert, beständig, korrekt, Fokus auf Details = „Blau"	Herr Brekenkamp tritt nicht gerade schüchtern auf, jedoch betritt er erst den Raum, nachdem er diesen „geprüft" hat. Für ihn scheint es Regeln zu geben, wie ein Raum ausgestattet sein muss (Tisch für Notizen), und ist dies nicht der Fall, geht er erst einmal davon aus, dass ein anderer nicht genügend nachgedacht hat („mitschreiben können"). Er geht davon aus, dass es bessere Sitzplätze geben muss und (dies ist eine Mutmaßung, die sich später bestätigt hat) findet die Aussage des Trainers dazu nachlässig. Alles in allem wirkt er korrekt, organisiert und irritiert, wenn man dies nicht teilt.
4	Extrovertiert, kurz angebunden, direkt, Fokus nicht auf Kontakt = „Rot"	Herr Schmidt kommt zu spät und entschuldigt sich nicht. Er macht schnell den freien Platz aus und lässt sich nur ungern sagen, wie er die Dinge (Namensschild ankleben) zu tun hat. Seine Körpersprache ist weniger offen und neugierig („Verschränkt die Arme und blickt Trainer direkt an") als vielmehr konfrontativ verschlossen. Er will zügig vorankommen und benötigt keine Wiederholung. Smalltalk oder „Labern", um sich gut zu fühlen, benötigt er nicht (Mutmaßung meinerseits). Er ist zudem zwar leger, aber korrekt gekleidet und außerdem ohne Jacke unterwegs. Er mag es vielleicht lieber kühl, was manchmal auf erhitzte Gemüter schließen lässt. Natürlich kann es sein, dass er seine Jacke auch im Auto in der Garage gelassen hat! Ich achte deshalb zusätzlich gerne auf die Hautfarbe des Kopfes („rot" oder blass) einen dicken Hals oder Anspannung im Gesicht. Das alles kann zur roten Tendenz passen, muss aber nicht.

Übung

Erinnern Sie einmal Personen aus Ihrer Umgebung – gleich ob Familie oder Beruf:
Wie ist deren Körpersprache, also

- Stimme,
- allgemeines Tempo,
- Blickkontakt,
- Nähe-Distanz-Verhalten,
- Gestik?

Zu welchen Farben würden Sie denjenigen deshalb zuordnen?

Notieren Sie die Namen und Ihre Einordnung.
Vergleichen Sie dann Ihre Einschätzung mit der Tabelle auf der folgenden Doppelseite.

! Tipp 3:

Nehmen Sie sich ab heute einfach vor, mehr auf diese körpersprachlichen Aspekte zu achten, und schärfen Sie so Schritt für Schritt Ihre nonverbale Beobachtungsgabe.

Ergänzen Sie Ihre Eindrücke zudem immer mit denen, die noch folgen, und verschaffen Sie sich so ein besseres Bild über die Persönlichkeit Ihrer Teilnehmer und Menschen, mit denen Sie Zeit verbringen. Bleiben Sie dabei so lange wie möglich auf der Ebene der Beobachtung, bevor Sie daraus Schlüsse ziehen. Vergewissern Sie sich von Zeit zu Zeit verbal Ihrer Eindrücke – fragen Sie also nach!

7.4.2 Analyse der Körpersprache im persönlichen Kontakt oder am Telefon

✓ Verhält sich Ihr Gesprächspartner eher …

    ✗ dominant bis temperamentvoll („Rot" oder „Gelb") oder
    ✗ ruhig bis „folgsam" („Blau" oder „Grün")?

und

    ✗ sachlich von trocken bis distanziert-kalt („Blau" oder „Rot") oder
    ✗ emotional von herb bis warm („Rot" oder „Gelb") oder
    ✗ menschlich warm von freundlich bis körperlich nah („Grün" oder „Gelb") oder
    ✗ lebhaft von engagiert bis konkurrierend („Gelb" oder „Rot")?

	Rot	Gelb
	dominant sachbezogen	emotional ich-bezogen
Körpersprache	• Abstand – gezielte Nähe • Vorbeugen • Fingergesten • direkter Augenkontakt • beherrschte Gesten • hohe Körperspannung	• Nähe und Berührungen • entspannt, locker • freundlicher, klarer Augenkontakt • ausdrucksvolle Gesten • mittlere bis hohe Körperspannung
Tonfall	• kräftig • klar, lauter, selbstbewusst • weniger Modulation und Melodie	• begeistert • viel Melodie • wechselnde Lautstärke • freundlich, lebhaft
Tempo	• relativ schnell (zielstrebig)	• eher schneller, aktiv (Wechsel)

Grün	Blau
emotional wir-bezogen	analytisch sachbezogen
• Nähe, zugewandt bei Sympathie, auch zurückgelehnt • freundlicher Augenkontakt • kleine Gesten • mittlere bis hohe Körperspannung	• Abstand • Stehen oder Sitzen • feste Haltung • direkter oder kaum Augenkontakt • kleine Gesten • geringere Körperspannung
• warm, sanft • geringere Lautstärke • stetig bis modulierend • etwas Melodie	• beherrscht • direkt, sachlich • nachdenklich • wenig Melodie • wenig Modulation
• eher langsamer (bedächtig)	• recht langsam (nachdenklich)

Exkurs „Kalibrieren von Zuständen"

Eine besondere Form des Beobachtens kleinster körpersprachlicher Signale ist das so genannte „Kalibrieren". Es bedeutet, dass Sie Ihren **Gesprächspartner intensiv wahrnehmen** und sich auf seine „noverbalen Codes" **abstimmen**. Dadurch werden Sie fähig, dessen aktuellen „Zustand", wie etwa fröhlich, traurig, neugierig, gelangweilt, ärgerlich, freundlich etc., unabhängig von seiner persönlichkeitsbedingten Körpersprache zu registrieren.

BEIM KALIBRIEREN BEMERKEN SIE KLEINSTE VERÄNDERUNGEN DER KÖRPERSPRACHE, WÄHREND SIE MIT JEMANDEM IN KONTAKT SIND, UND ERHALTEN SO WERTVOLLE INFORMATIONEN.

Die Annahme dahinter ist, dass wir alle konkrete mimische Ausdrücke zu einer Stimmung zeigen – allerdings zeigt nicht jeder eindeutig die gleichen! Außerdem ist es wichtig, **Veränderungen** in der Mimik und in allerkleinsten Gesten – den so genannten ideomotorischen Bewegungen – zu bemerken. Diese Veränderungen haben immer eine Bedeutung, insbesondere dann, wenn sie plötzlich oder wiederholt auftreten. Wenn Sie sich also mittels Kalibrieren auf Ihre Gesprächspartner einstellen, können Sie auf die Veränderungen ihrer nonverbalen Codes angemessen verbal oder körpersprachlich reagieren, um so die Situation bei Bedarf deeskalierend im Griff zu haben.

Was genau können Sie beim Kalibrieren beobachten?
- Atem(bewegungen) und deren Tempoveränderungen,
- Bewegungen der Augenbrauen und -lider,
- Bewegungen der Lippen und der Mundwinkel,
- Stirnbewegungen,
- Bewegungen der Nase und speziell der Nasenflügel,
- Bewegungen des Kinns inklusive Kopfhaltung,
- kleinste Bewegungen (Zucken) von Fingern, Füßen, Zehen, Knien,
- Schweißbildung (oberhalb der Lippe, auf der Stirn etc.),
- Glanz in den Augen.

Hier ein Beispiel für gute Beobachtung und deeskalierende Gesprächsführung in einer schwierigen Situation:

FALLBEISPIEL:

Vor ein paar Jahren habe ich eine mehrtägige Trainerweiterbildung geleitet und die geschilderte Situation ereignete sich am ersten Tag. Die Teilnehmer waren sich zuvor zum größten Teil noch nie begegnet und haben sich in einer Morgenrunde kennen gelernt.

Jeder hat ausführlich seine Wünsche und Ziele geäußert, ich habe anschließend die Themen des ersten Tages und die der noch folgenden Tage vorgestellt.

In einer ersten Piazza-Runde haben die Teilnehmer in Gruppen die Basics zum ganzheitlichen Lernen und Lehren kennen gelernt und zur Vertiefung ein Memory gemacht. Die Gruppe ist sehr gemischt bezüglich ihrer Wünsche zum Thema und ihrer Temperamente bzw. Persönlichkeiten.

Aufgrund meiner Beobachtungen und den Äußerungen wirkten alle entspannt und neugierig und freuten sich auf die folgenden Tage in der Gruppe. Nur eine Teilnehmerin fällt von Beginn an auf. Sie spricht zügig, lächelt etwas weniger als die anderen, sitzt vorne rechts und hat mehrere Dinge (Taschen, Jacke, Bücher, Notizblock etc.) um ihren Stuhl herum gelegt. Diese Beobachtungen lassen laut des Farbenmodells vielleicht auf jemanden mit blau-roten „Vorlieben" schließen (sachlich, distanziert, konzentriert vielleicht, weniger im Mittelpunkt stehen wollend etc.). Mir war klar: Hilfreich ist es, dies erst einmal wahrzunehmen und sich davon nicht irritieren zu lassen, vor allem wenn man „anders tickt".

Die Beobachtungen reichten mir aber aus, um leicht alarmiert zu sein, hier besonders genau zu beobachten – sie ließen dennoch nicht unbedingt auf Unzufriedenheit oder gar einen Konflikt schließen. Auffällig war aber, wie sich die Mimik dieser Teilnehmerin vor allem bei den begeisterten Äußerungen der anderen Teilnehmer zum bisherigen Verlauf schlagartig, aber dennoch kaum bemerkbar veränderte: Die Augen wurden leicht zu Schlitzen und die Atmung schneller, erkennbar an den plötzlichen Bewegungen des Brustkorbes. Mehr war aus der Entfernung nicht zu erkennen, aber es reichte, dass ich in der Situation nicht weiter abwarten wollte.

Ich sprach die Teilnehmerin, nennen wir sie Frau Hasselmann, aktiv an:

„Frau Hasselmann, ich habe den Eindruck, dass Sie das gerade ganz anders sehen. Ich bin mir natürlich nicht ganz sicher, und schließe nur aus meinen wenigen Beobachtungen. Kann es sein, dass Sie etwas anderes erwartet haben oder Ihnen noch irgendetwas fehlt, um sich auf die vier Tage einzulassen?"

Daraufhin brach es aus Frau Hasselmann heraus und dies in einer Wucht, mit der ich und die anderen Teilnehmer nicht gerechnet hatten. Sie äußerte sich höchst unzufrieden mit allem, empfand es als *„Laberei"* und wisse gar nicht, was sie mit *„dem Zeug"* anfangen solle. Wichtig war nun, auch in der Körpersprache der anderen Teilnehmer zu lesen, die sich stark verändert hatte. Was ich sah, ließ mich eine Protestwelle und Gruppenbildung gegen Frau Hasselmann vermuten. Also gab ich nun selbst verbal und körpersprachlich zu verstehen, mir das nicht anhören und stattdessen eine Pause machen zu wollen.

In einem heftigen Pausengespräch mit Frau Hasselmann erkannte ich, dass sie aktuell nicht bereit und fähig war, sich zu beruhigen – ihre Körpersprache und Stimme blieb unverändert gespannt und laut.

Aus Erfahrung kann ich sagen: Dies tun Menschen in der Regel nur dann, wenn sie das Gefühl haben, in Not zu sein – unabhängig von ihrer Persönlichkeit. So vermutete ich auch hier eine individuelle Notsituation und sagte:

„Vermutlich müssen Sie sehr schnell ein Seminarkonzept auf die Beine stellen und haben den Eindruck, dass Sie dies mit dem Bisherigen nicht schnell genug hinbekommen werden?"

Anmerkung:

Je nach Situation können Sie Ihre Mutmaßung äußern oder auch für sich behalten. Ich tendiere dazu, es lieber anzusprechen, um so Verständnis für den Teilnehmer zu zeigen. Dies bedeutet aber noch lange nicht, dass ich seinen Bedürfnissen nachkomme und nun z.B. mein Seminar komplett umstricke!

Ich habe mit der Annahme damals realtiv richtig gelegen und Frau Hasselmann hat sich entschieden, das Trainerseminar nicht weiter zu besuchen, sondern Folien für ihren Vortrag am kommenden Montag zu erstellen. Sie war nicht bereit, Zeit zu investieren, aus dem Vortrag ein „echtes" Seminar zu gestalten. Und schon gab es für mich wieder einen Lerneffekt: Es ist auch eine gute Lösung eines Konfliktes, wenn jemand einfach die Situation verlässt. Es ist nicht immer das Beste, wenn „alles nachher wieder gut" und harmonisch ist.

Zusammengefasst kann man aus dem Beispiel für schwierige Situationen ableiten:

! Tipp 4:

Üben Sie sich darin, Körpersprache zu kalibrieren: Beobachten Sie möglichst genau und achten Sie auf kleine oder plötzliche Veränderungen der Körpersprache. Diese haben immer eine Bedeutung!

! Tipp 5:

Vertrauen Sie auf Ihre Beobachtungen und greifen Sie präventiv ein. Wenn es passt, warten Sie nicht ab, auf die Gefahr hin, dass keine Gefahr da sein könnte. Durch Ihre sprachlichen Formulierungen („Ich habe den Eindruck ...", „Kann es sein, dass ...") mutmaßen Sie lediglich und nehmen dies sprachlich vorweg. Stimmt dies nicht, wird Ihr Gesprächspartner Sie korrigieren und positiv bemerken, dass Sie aufmerksam und interessiert an ihm sind.

! Tipp 6:

Verbuchen Sie heftige Reaktionen als Notfall, in dem demjenigen keine andere Wahl zur Verfügung stand. Wechseln Sie die Perspektive, statt sich zu ärgern. Überlegen Sie aufgrund der Informationen, die Sie in der Vorstellungsrunde und im Verlaufe des Seminars gesammelt haben, welche Not dies sein könnte, und sprechen Sie eine Mutmaßung aus.

! Tipp 7:

Werden Sie sich bewusst, dass es diverse Arten der Konfliktlösung gibt, die meisten Menschen bevorzugen „Harmonie". Wenn Sie immer Harmonie zum Ziel haben, machen Sie es sich im Umgang mit Konflikten aber nur unnötig schwer. Denken Sie daran, wie die Situation verlaufen wäre, wenn ich Frau Hasselmann unbedingt im Seminar hätte halten wollen!

7.4.3 Awendung des Persönlichkeitsmodells auf schwierige Situationen im Seminar: 10 Beispiele

Aufgabe – Teil 1

Betrachten Sie nun noch einmal die Top 10 der schwierigen Situationen zum einen aus dem Blickwinkel der Persönlichkeitstendenzen, zum anderen mit Ihren bisherigen Erfahrungen und Ihrem gesunden Menschenverstand:

? Welche Farben und vor allem welche Bedürfnisse und ggf. Ängste, die jemand vermeiden möchte, lesen Sie jeweils heraus? Notieren Sie Ihre Ideen …

? Überlegen und notieren Sie anschließend, wie Sie mit diesem Hintergrundwissen und Ihrem gesunden Menschenverstand reagieren könnten.

Moment noch, die Aufgabe wird gleich präzisiert, zunächst ein paar Gedanken dazu:

Dies ist bei wenigen Informationen und ohne Körpersprache nicht so einfach. Und Sie werden nicht zu Unrecht sagen: *„Das kommt doch darauf an"* etc. Ja, das stimmt schon. Im Train-the-trainer-Seminar erfahre ich dennoch häufig nicht mehr, besonders dann, wenn die Teilnehmer die Situationen nur befürchten, aber noch nie selbst erlebt haben. Eine Antwort möchten sie aber trotzdem haben und ich denke, die kann man auch grundsätzlich geben. Versuchen Sie es also einfach einmal!

Ein Hinweis an alle mit großem blauen Anteil Leser: Ich ahne, dass das eventuell zu oberflächlich auf Sie wirken wird. Versuchen Sie die Hinweise als einen Richtungsanzeiger zu werten. Menschliches Verhalten ist leider nicht zu hundert Prozent kalkulierbar – neben dem Verstand ist hier auch die Intuition gefragt. Bevor es nun wirklich losgeht, noch dieser **Hinweis**: Es ist für alle schwierigen Situationen noch einmal wichtig hervorzuheben, dass nicht jeder alles (gleich) schwierig findet, denn wir bewerten die Situation ja aufgrund unserer Persönlichkeit unterschiedlich! Wenn Sie sich also in das eine oder andere Beispiel nicht hineinversetzen können und denken: „Wo ist das Problem?," dann fragen Sie sich einmal, wie jemand denken und fühlen muss, der dies so einschätzen würde. Und schon wenden Sie das Modell in der Praxis an …

① Ein Teilnehmer redet immer wieder in den Vortrag hinein, stellt Fragen, kommentiert aus seinem Erfahrungsschatz, korrigiert den Trainer.

Farbe(n): ....

Bedürfnisse/Ängste: ....

....

Ihre angemessene Reaktion: ....

....

....

② Ein oder mehrere Teilnehmer wollen eine Übung nicht machen.

Farbe(n): ....

Bedürfnisse/Ängste: ....

....

Ihre angemessene Reaktion: ....

....

....

③ Ein Teilnehmer greift einen anderen an.

Farbe(n): ....

Bedürfnisse/Ängste: ....

....

Ihre angemessene Reaktion: ....

....

....

④ Ein Teilnehmer redet immer wieder ohne Punkt und Komma, wenn er an der Reihe ist, und findet kein Ende.

Farbe(n):

Bedürfnisse/Ängste:

Ihre angemessene Reaktion:

⑤ Ein Teilnehmer hinterfragt beständig den Inhalt, die Art der Übungen etc., nach dem Motto „Was soll denn der Quatsch?".

Farbe(n):

Bedürfnisse/Ängste:

Ihre angemessene Reaktion:

⑥ Alle oder ein Teil der Teilnehmer langweilen sich und machen nicht oder nur unter Protest mit.

Farbe(n):

Bedürfnisse/Ängste:

Ihre angemessene Reaktion:

⑦ Kaum jemand lächelt während des gesamten Seminars (ja, ich finde das wirklich schwierig!).

Farbe(n):

Bedürfnisse/Ängste:

Ihre angemessene Reaktion:

⑧ Einige Teilnehmer kommentieren fast alles witzig und quatschen andauernd miteinander.

Farbe(n):

Bedürfnisse/Ängste:

Ihre angemessene Reaktion:

⑨ Jemand fängt an zu weinen.

Farbe(n):

Bedürfnisse/Ängste:

Ihre angemessene Reaktion:

⑩ Jemand verlässt immer wieder den Raum (um zu telefonieren oder Ähnliches).

Farbe(n): ....

Bedürfnisse/Ängste: ....

....

Ihre angemessene Reaktion: ....

....

....

7.5 Lösung – meine persönliche Einschätzung und kommunikative Tipps zu den Situationen

1. Ein Teilnehmer redet immer wieder in den Vortrag hinein, stellt Fragen, kommentiert aus seinem Erfahrungsschatz, korrigiert den Trainer.

Farbe(n)
- „Blau", wenn der Teilnehmer viel korrigiert und die Stimme/Sprache eher nüchtern ist.
- „Gelb", wenn das Verhalten eher lebendiger und „plappernd-rausrutschend" wirkt.

Bedürfnisse/Ängste
- „Blau": Korrekte Aussagen, hohe Qualität statt Oberflächlichkeit, fachlicher Austausch.
- „Gelb": Kontakt, lebendig und aktiv sein statt zuhören, Gestalten wollen, Interesse am Thema.

Ihre angemessene Reaktion
- „Blau": Wertschätzen Sie das Wissen und bedanken Sie sich für die Beiträge. Erkennen Sie, ob Sie selbst tatsächlich zu wenig Ahnung haben und es für alle wichtig ist, mehr Details zu bekommen (achten Sie auf die Zeit und das Interesse der anderen). Dann, aber nur dann, bitten Sie denjenigen ruhig, sein Fachwissen in einem Kurzvortrag rüberzubringen, und machen vorher eine klare Zeitangabe.

  Wenn keine Zeit ist oder die Details für die Gruppe nicht relevant sind, nehmen Sie davon unbedingt Abstand, indem Sie z.B. sagen: „*Vielen Dank, Herr X, Sie kennen sich offenbar mit dem Thema sehr gut aus. Es ist gut, dass es Fachleute gibt, die einer Sache auf den Grund gehen. Ich merke gerade, dass wir den Zeitplan nicht einhalten können, wenn wir uns diesem Thema so detailliert widmen. Ich möchte mich gerne an diese Abmachung halten. Außerdem habe ich noch eine Vermutung, nämlich dass die meisten hier die vielen Informationen eher überfordern. Deshalb hab ich eine Bitte: Sind Sie damit einverstanden, wenn wir die Diskussion an dieser Stelle unterbrechen und mit dem neuen Thema weitermachen?"*

- **„Gelb"**: Versuchen Sie zunächst die einfachste, aber hilfreiche Strategie, die ich selbst noch vor kurzem erfolgreich in einer mir viel zu lebhaften, immer wieder kommentierenden Gruppe eingesetzt habe: Freuen Sie sich über Menschen, die lebendig und interessiert sind und die die anderen mit ihrer Art und ihrem Interesse mitziehen. Lachen Sie mit, reden Sie freundlich in die Kommentare hinein und übernehmen Sie so wieder das Ruder. Dies nehmen Ihnen die Gelben überhaupt nicht übel. Überlegen Sie, wie es wäre, wenn alle eher still und, ohne zu kommentieren, das Thema über sich ergehen ließen (typische Gelb-Sicht!). Für mich wäre das schrecklicher!

  Wenn es gar zu viel wird, komme ich immer gut mit dem Satz *„Meine Damen/ Herren – etwas mehr Contenance bitte"* zurecht. Alle kichern und wissen, dass sie gemeint sind – bis es wieder aus ihnen herausbricht. Lebhafte, neugierige Menschen lassen sich als Erwachsene nicht ruhig halten – das ist meine Erfahrung.

  Ist es dennoch an einer bestimmten Stelle besonders wichtig, dass Ruhe o.Ä. herrscht, machen Sie dieses durch eine klare Ansage besonders deutlich. Das kommt auch bei Gelben an, die mögen es nämlich nicht, wenn man ihnen böse ist!

2. Ein oder mehrere Teilnehmer wollen eine Übung nicht machen.

Farbe(n)
Alle Farben sind möglich, es kommt auf die Motive und Befürchtungen an.

Bedürfnisse/Ängste
- **„Rot"**: sieht den Sinn nicht, etwas zu üben, will schnell vorankommen, hat noch was vor.
- **„Gelb"**: Langeweile, immer die gleiche Art, etwas zu üben, soll alleine arbeiten.
- **„Grün"**: Wettkampf, Unsicherheit, soll alleine arbeiten.
- **„Blau"**: Sinn der Übung unklar, Angst, sich bloßzustellen und Emotionen zeigen zu müssen.

Ihre angemessene Reaktion
Mutmaßen Sie über die Motive und bitten Sie um Feedback. Passen Sie die Übung ggf. an, verschieben Sie sie oder lassen Sie sie für Einzelne oder alle ausfallen. Fragen Sie, wer die Übung machen möchte und wer nicht, fordern Sie aber ein klares Statement dazu ein. Verdeutlichen Sie, was dies zur Folge hat (bestimmte Dinge kann man dann nicht ausprobieren). Machen Sie eine Pause, lassen Sie frischen Wind rein und überlegen Sie, wie es weitergehen könnte. Erkennen Sie vor allem, dass

man die Teilnehmer nicht zum Übungsglück zwingen kann (was zugegeben für mich besonders schwer war, weil mir Mut als Wert sehr wichtig ist).

3. Ein Teilnehmer greift einen anderen Teilnehmer an.

Farbe(n)
Diese Art des Aktivwerdens ist typischer für die extrovertierten Farben („Rot" oder „Gelb").

Bedürfnisse/Ängste
Unsicherheit, jemand sieht die eigenen Bedürfnisse durch das Verhalten anderer gefährdet, Verteidigung .

Ihre angemessene Reaktion: Eingreifen
„Bitte hören Sie sofort auf, so miteinander zu reden!" Verwenden Sie also eine neutrale Formulierung (kein „Hören Sie auf, sich anzugreifen"), um nicht noch mehr Öl ins Feuer zu kippen. Machen Sie aber unmissverständlich klar, dass SIE als Trainer das Verhalten in Ihrem Seminar nicht dulden.

Anschließend – Pause für alle anderen und das Gespräch suchen mit den beiden Beteiligten. Dabei moderieren Sie zwischen den beiden Personen und versuchen herauszufinden, worum es beiden in der Auseinandersetzung ging. Dies sollte nacheinander geschehen. Beachten Sie auch die Heftigkeit der Situation!

Hier einige Beispiel-Formulierungen:
- *„Ich möchte nun herausfinden, worum es Ihnen geht. Darum werde ich Ihnen nun nacheinander ein paar Fragen stellen, einverstanden?"*
- *„Ich ergreife nicht Partei, sondern möchte Sie beide verstehen, muss aber nacheinander mit Ihnen reden. Ok?!"*
- *„Frau Y, was ist aus Ihrer Sicht passiert und welche Folgen hatte das für Sie?"*
  Helfen Sie dabei, wenig über Interpretationen, sondern über tatsächliche Wahrnehmungen zu reden. Dies kann die andere Person eher annehmen und sich dafür entschuldigen, wenn nötig.
- Befragen Sie nun die andere Person: *„Herr X stimmt das?"*
  Ist die Formulierung sehr „hart" und verletzend, fragen Sie denjenigen mit direktem Blickkontakt: *„Herr X, warum sagen Sie so etwas?"*
  Dies hilft, um klarzumachen, dass Sie dieses Verhalten unter keinen Umständen billigen und hinnehmen.
- Lassen Sie denjenigen die Sache nun aus seiner Sicht schildern. Zeigen Sie Interesse und Verständnis für seine Sicht, wenn dies möglich ist. Man kann in der Sache einig sein und den Ton missbilligen!

- Bitten Sie um eine Versöhnungsgeste, Entschuldigungen etc. je nach Situation und verbitten Sie sich weitere Auseinandersetzungen in dieser Form während des Seminars.
- Ggf. muss außerhalb des Seminars noch Weiteres geklärt werden, selten sollte ein Teilnehmer das Seminar verlassen (ich selbst hab dies noch nie erlebt).

4. Ein Teilnehmer redet immer wieder ohne Punkt und Komma, wenn er an der Reihe ist, und findet kein Ende.

Farbe(n)
Ähnlich zu 1 – beachten Sie den Stimmklang:
- nüchtern, informativ (eher „Blau") oder
- plappernd-lebendig (eher „Gelb").

Bedürfnisse/Ängste
Qualität und Austausch zu einem Fachthema oder sich einfach lebendig einbringen wollen und in Kontakt bleiben.

Ihre angemessene Reaktion
Das Verhalten wertschätzen und sehr freundlich und mit einem Lächeln unterbrechen und dabei nicht das Wort „aber" verwenden!

- Beispiel für **„Blau"**: *„Frau X, ich merke, dass Sie gerne noch sehr viel dazu sagen möchten, und ich schätze Sie als Fachfrau zu diesem Thema. Bitte lassen Sie mich nun die nächste Übung anmoderieren, einverstanden?"*

- Beispiel für **„Gelb"**: *„Thorsten, ich ahne, dass es dir Spaß macht, dich ausgiebig über ein Thema auszutauschen, und ich bin da eigentlich genauso. Jetzt möchte ich gerne ..., o.k.?"* Dies immer wieder tun, wenn derjenige erneut ins längere Reden verfällt.

5. Ein Teilnehmer hinterfragt beständig den Inhalt, die Art der Übungen etc., nach dem Motto „Was soll denn der Quatsch?".

Farbe(n)
Alle, wenn „Grün" sehr ausgeprägt ist, wäre die Formulierung sicherlich höflicher.

Bedürfnisse/Ängste
Ähnlich zu 2:
- Der Sinn und Nutzen der Übung / des Themas ist nicht klar (den alle außer **„Gelb"** am liebsten vorher wissen möchten).
- Starker Wunsch nach Struktur und Kontrolle der Situation – sich nicht auf etwas einlassen können, was man nicht vorher genau kennt (oft **„Blau"**).

- Jemand möchte schnell thematisch vorwärtskommen und nur seinen Nutzen aus dem Seminar ziehen (**„Rot"**). Würde am liebsten nur die Essentials vorgestellt bekommen.
- Manche möchten lieber ein „Berieselungsseminar", statt eines, in dem sie gefordert sind. Seminar dient nur dazu, mal „raus zu kommen" (oft **„Grün"** mit Angst vor Veränderung und Konflikten, die dann im Anschluss aber zum Vorgesetzten sagen können: *„Ich hab das Seminar doch gemacht."*).
- Es könnte auch Angst sein, sich grundsätzlich in Übungen bloßzustellen. Dann wird das Hinterfragen als Ablenkungsmanöver eingesetzt.
- Jemand, der sich mit Methoden und dem Thema auseinandergesetzt hat (Trainerkollege, Fachkollege) und es auf seine Art „gut" meint. Einfach mal Spaß am Klugscheißern haben!

Ihre angemessene Reaktion

Je nach Ihrer Einschätzung der Situation und der Bedürfnisse fragen Sie zunächst nach den Beweggründen des Verhaltens. Hier einige Beispiele:

- *„Kann es sein, dass Ihnen der Sinn der Übung fehlt?"*
- *„Benötigen Sie noch etwas mehr Struktur über den Tag, um sich darauf einlassen zu können?"*
- *„Kann es sein, dass Sie den heutigen Tag eigentlich eher als eine Auszeit vom Job sehen und gar nicht so viel Bedarf haben, etwas zu üben?"*
- *„Befürchten Sie, sich vor allem bloßzustellen, wenn ...?"*
- *„Ich vermute, Sie hätten am liebsten nur die wichtigsten Punkte zum Thema knackig auf den Punkt gebracht und brauchen aus Ihrer Sicht keine Übungen dazu – kann das sein?"*
- Oder mit ziemlichem Augenzwinkern: *„Ganz ehrlich Frau X: Ich hab den Eindruck, dass Sie sich mit dem Thema gut auskennen und einfach mal Lust haben, dies hier loszuwerden. So im Sinne von mitreden können. Lieg ich da richtig?"*

! Tipp:

Diese Art des Nachfragens wird übrigens in der Kommunikation „AKTIVES ZUHÖREN" *genannt: Sie hören dabei heraus, worum es dem anderen in der Situation eigentlich geht, und spiegeln im dies verbal zurück. Dabei müssen Sie weder dem anderen zustimmen noch dessen Wunsch entsprechen!*

Wichtig bei dieser wertschätzenden Deeskalationstechnik ist, dass Sie sich empathisch verhalten, anstatt sich für den „Vorwurf" zu verteidigen. Der andere merkt dies und wird die Kritik, die Sie in vielen Situationen an das aktive Zuhören anschließen, einfacher annehmen können.

Hier noch ein Beispiel dazu:

Ein „Roter" will bestimmte Übungen beim Thema „Zeitmanagement" nicht mitmachen: *„Ich kann Ihren Wunsch nach Kürze nachvollziehen und (anstelle von „aber"!) nun haben Sie sich für ein Seminar entschieden, statt z.B. ein Buch zum Thema Zeitmanagement* *zu lesen. Sie wissen, dass man in Seminaren auch Übungen macht. Können Sie sich nun auf diese Gruppenarbeit einlassen, auch wenn ich weiß, dass es Ihnen ohne lieber wäre?"*

Mit diesen Sätzen nehmen Sie Ihren Teilnehmer ernst und muten ihm zu, dass er zu seiner Entscheidung, ein Seminar zu besuchen, steht. Seminar ist Seminar, Buch ist Buch und Vortrag ist Vortrag – man bekommt immer das, was man gewählt hat ... Wenn derjenige dennoch nicht mitmachen möchte, lassen Sie ihn in der Zeit etwas anderes machen, aber kümmern Sie sich um Ihre Übung.

6. Alle oder ein Teil der Teilnehmer langweilen sich und machen nicht oder nur unter Protest mit.

Farbe(n)
„Gelb" und „Rot" werden Gelangweiltsein am ehesten zeigen – sie sind extrovertiert und weniger konfliktscheu.

Bedürfnisse/Ängste
Thema und/oder Methoden entsprechen nicht den Erwartungen, Müdigkeit, mehr Abwechslung, mehr Tempo, Teilnehmer sind zum Seminar geschickt worden – sehen also kein individuelles Bedürfnis teilzunehmen, Teilnehmer sind Auszubildende in den ersten beiden Lehrjahren mit wenig Erfahrungen und Problemen im jeweiligen Lehrberuf.

Ihre angemessene Reaktion
Das Gespräch suchen, Aktivierung einfließen lassen, Lüften und Methodenwechsel bzw. Vortrag nach dem Mittagessen vermeiden. Aus Erfahrung kann ich sagen: Wer oft Seminare für Auszubildende gibt, sollte sich spezielle Tipps von Fachleuten zur Methodik, Didaktik und Gesprächsführung mit Jugendlichen geben lassen. Oft haben „Erwachsene" im Hinterkopf, wie diese zu sein und sich zu verhalten hätten – das merken Jugendliche und verhalten sich entsprechend. Hilfreich ist es auch, sich an die „guten" Lehrer von damals zu erinnern und herauszufinden, warum sie als gut galten. Abgucken ist an dieser Stelle immer erlaubt!

7. Kaum jemand lächelt während des gesamten Seminars.

Farbe(n)
„Blau" und „Rot" zeigen ihre Gefühle oft weniger offen als andere. Das „Problem" hat aber in der Regel der gelb-grüne Trainer und das ist hier viel wichtiger!

Bedürfnisse/Ängste
Der gelb-grüne Trainer braucht Gefühlsrückkopplungen und herzlichen Kontakt. Dies erkennt er unter anderem am Lächeln der Teilnehmer. Bleibt dies aus, könnte

er meinen, die Teilnehmer seien unfreundlich, uninteressiert, hätten persönlich etwas gegen ihn etc.

Ihre angemessene Reaktion

Hier hilft nur: Das Modell anwenden! Erkennen Sie also die Persönlichkeiten der Teilnehmer, führen Sie es nicht auf sich zurück (außer es gibt Anlass dazu!) und entspannen Sie sich. Nicht alle Menschen sind so, wie man es gerne hätte.

Ich führe auch oft Situationen herbei, bei denen ich damit rechnen kann, dass auf jeden Fall gelächelt wird – diese genieße ich dann besonders! Lächelt übrigens wirklich jemand nie und verzieht auch kaum eine Miene, spreche ich ihn darauf an. Dies habe ich bisher nur ein einziges Mal erlebt – derjenige dachte, dass sein Verhalten als besonders aufmerksam rüberkommen würde.

8. Einige Teilnehmer kommentieren fast alles witzig und quatschen immer wieder miteinander.

Farbe(n)

Eher „Gelb-Grün"

Bedürfnisse /Ängste

Spaß, Kontakt, Austausch, Lebendigkeit

Ihre angemessene Reaktion

Siehe Situation 1 – Lösung für „Gelb".

9. Jemand fängt an zu weinen.

Farbe(n)

Man würde dies wohl „Blau" und „Rot" weniger zutrauen, weil sie höchst ungern vor anderen diese Art von Gefühlen zeigen möchten.

Bedürfnisse/Ängste

Situationsbedingt

Ihre angemessene Reaktion

Als Erstes finde ich es wichtig, dass man auch in Seminaren mit solchen Reaktionen rechnen sollte – wir haben es schließlich mit Menschen zu tun – unabhängig vom Seminarthema.

Ist das Weinen eine Reaktion auf ein Verhalten eines anderen Teilnehmers, machen Sie eine Pause und klären die Situation. Ich habe so etwas schon mal in einer Pause erlebt und die Person einfach selbst entscheiden lassen, was sie tut und inwiefern sie wieder am Seminar teilnehmen möchte ...

10. Jemand verlässt immer wieder den Raum, um zu telefonieren oder Gespräche mit Vorgesetzten oder Projektmitgliedern zu führen.

Farbe(n)

Man würde es der grünen Tendenz wohl am wenigsten zutrauen, aber es kommt auf die Situation, Position und Firmenkultur an. Wohlbemerkt – wir reden hier nicht von einmaligem Handyklingeln oder vor die Tür gehen, weil der Kindergarten oder die Schule anruft!

Bedürfnisse/Ängste

Ärger vermeiden und außerdem zuverlässig und kundenorientiert wirken. In vielen Firmen wird erwartet, dass jeder immer erreichbar ist, egal wo er sich befindet. Das heißt, derjenige verhält sich angemessen im Rahmen der Firmenkultur, aus der er kommt. Mir ist außerdem aufgefallen, dass Seminare bei „Roten" schon mal geringe Priorität haben, außer der Druck ist tatsächlich hoch, etwas zu lernen oder umzusetzen. Diese Teilnehmer tun mit ihrem Verhalten also ihre Prioritäten kund.

(Nicht nur) „rote" Führungskräfte und Menschen in leitenden Funktionen trifft man oft in Seminaren, in denen es um Werte, Sinn, Balance, Selbstmanagement und Entspannung geht. Nicht umsonst sind dort Handys in der Regel absolut verboten – als erste kleine „Intervention" sozusagen.

Ihre angemessene Reaktion

Überlegen Sie zunächst, ob Sie sich möglicherweise durch das Verhalten respektlos behandelt fühlen. Wenn ich diese Situation in den Seminaren bespreche, entsteht oft eine Diskussion über Respektlosigkeit und darüber, dass man sich dieses Verhalten doch nicht einfach bieten lassen könne etc. Ich meine, dass diese Gedanken – und vor allem die dazugehörigen Gefühle – in der Situation nicht hilfreich sind, auch wenn etwas Wahres daran ist. Schließlich zollt derjenige mit seinem Verhalten weder dem Inhalt, der guten Vorbereitung noch dem Kreise der Teilnehmer und dem Trainer den angemessenen Respekt.

In der Regel hat das Verlassen des Raumes aber nichts mit der Person des Trainers oder dem Seminar selbst zu tun, sondern nur mit den jeweils unterschiedlichen Prioritäten. Dies bedeutet jedoch nicht, das Verhalten einfach unkommentiert hinzunehmen, schließlich entsteht Unruhe, der Teilnehmer verpasst etwas und fällt für Gruppenarbeiten aus.

Suchen Sie das Gespräch und treffen Sie eine Vereinbarung. Ich habe in diesen Gesprächen schon alles erlebt – von einer Entschuldigung, über eine Vereinbarung, zu einem klaren Zeitpunkt nochmals telefonieren zu können, bis dahin, das Seminar zu verlassen. Wenn jemand selbst bemerkt, dass er überhaupt nicht bei der Sache ist und die anderen stört, ist dies nicht nur die beste Lösung, sondern zeugt wiederum von Respekt.

7.6 Seminarmethoden für Persönlichkeiten – eine Übersicht

Es wäre unsinnig bis schade, das Persönlichkeitsmodell in diesem Buch nur für schwierige Situationen anzuwenden, denn die Persönlichkeitstendenzen sind auf viele andere Seminarsituationen anwendbar. So kann das Modell auch für das aktivierende Lernen und Lehren gute Dienste leisten. Hier können Sie das Bedürfnis nach Aktivität und Abwechslung, nach Kontakt zu anderen und dem nach Struktur und Orientierung in Ihre Methodenplanung und Umsetzung einfließen lassen.

BEISPIEL:

Ich hatte vor nicht allzu langer Zeit wider Erwarten eine enorm extrovertiert-aktive Gruppe, die zudem auch noch etwas „methodenverwöhnt" war. Meine ursprüngliche Planung war zwar abwechslungsreich, aber nicht sonderlich spektakulär, weil ich mich in einem konservativen Umfeld wähnte. Ich rechnete mit strukturliebenden Menschen, die der einen oder anderen Gruppenarbeit sicherlich aufgeschlossen gegenüberstehen würden. Doch Pustekuchen – diese Gruppe von Führungskräften sollte mich eines Besseren belehren!

Also änderte ich als Erstes spontan den Rahmen des Seminarraumes. Die eigentlich unverrückbaren Tische stellten sich als zusammengesteckt heraus. Als „Kurz-Aktivierung" eingeführt, begannen wir zunächst, die Tische auseinander-zuziehen und aus der Raummitte zu entfernen. Allerdings war der Raum schmal und rechteckig, sodass ein Stuhlkreis in der Mitte unmöglich war. Begeistert zeigte sich die Gruppe von meinem Vorschlag, den Rest des Tages die Gruppenarbeiten auf dem Teppich sitzend zu verbringen und die Kurzvorträge auf den Tischkanten! Wer stehen wollte, konnte auch dies tun. Eine ursprünglich nicht geplante Sequenz, das assoziative Denken der Teilnehmer mittels Erfinden von Geschichten zu fördern, stellte sich nicht nur durch das Sitzen auf dem Teppich als äußerst amüsant heraus. Die Teilnehmer sprühten vor Wortwitz, Fantasie und Gruppenwohlbefinden. Die anschließende Übung zu einer eher ernsten Schlagfertigkeitstechnik verlief locker, konzentriert und schneller, als das sonst der Fall war. Sicherlich wäre alles mit der ursprünglichen Planung auch gut verlaufen.

Aber der spontane Methodenwechsel machte das Lernen für alle angenehmer und lehrreicher, was sich sowohl im Tages-Feedback zeigte als auch an den Folgeaufträgen. So können kleine Dinge, wie hier die angepassten Methoden, eine große Auswirkung haben, derer man sich zunächst nicht bewusst ist!

Die folgende Abbildung soll Ihnen als Orientierung dienen, welche Methoden für welche Persönlichkeitstendenz besonders ansprechend ist – ergänzen Sie sie mit Ihren Erfahrungen und notieren Sie in Ihren Konzepten, was besonders gut funktioniert hat und warum. Aus Erfahrung kann ich sagen – man vergisst diese Dinge im Arbeitsalltag wirklich schnell!

Moderatives, methodisches Vergehen

Extrovertiert
veränderungsorientiert

- Einzelergebnisse
- Einzel- und Partnerarbeit
- Bewegungsbezogene Methoden
- Coaching
- Fallanalysen
- Strukturanalyse
- Analytische Statements
- Wettbewerb
- Brainstorming (Metaplan)

- Abwechselung
- Erlebnisorientierte Vermittlung
- Modelle
- Freiräume
- Kopf und Bauch
- Praktisches Tun
- Perspektivenwechsel
- Musik und Bewegung
- Bilder, Farben
- Checkliste für die Praxis
- Symbole

Distanz
aufgabenorientiert

Nähe
menschenorientiert

- Lernen am Modell
- Präzise Absprachen
- Zielstellungen
- Kartenabfragen
- Strukturierte Vorstellungsrunde
- Schritt für Schritt vorgehen
- Arbeitsergnisse festhalten
- Dokumentationen/Handbücher
- Strukturierter Zeitplan
- Fachkomeptenter Moderator/Referent

- Partnerübung
- Kleingruppenarbeit
- Beziehungs- und Befindlichkeitsthemen
- Blitzlich „Ich finde ..."
- Kollegiale Beratung
- Unterstützung durch netten Kollegen/in
- Übersichten
- Strukturierte Moderation
- Vorstellungsrunde
- Wenig Wettbewerb

Introvertiert
systemorientiert

Schlussbemerkung

Nun ist alles gesagt! Sie wissen, was aktivierendes Lernen und Lehren ausmacht, wo es herkommt, wie Sie an die richtigen Themen und Methoden für Ihre Teilnehmer gelangen, ein passendes Seminarkonzept erstellen und während des Seminars mit schwierigen Situationen umgehen können.

Zu allem können Sie vertiefend weitere Bücher lesen, Seminare besuchen, stundenlang mit anderen Lehrenden reden etc. Dies empfehle ich Ihnen ausdrücklich! Jedoch – beginnen Sie erst einmal Ihr Konzept zu erstellen, Seminarerfahrung zu sammeln und festzustellen, dass dies vielleicht einer der anstrengendsten, aber auch schönsten Jobs ist, denen man nachgehen kann.

Ich wünsche Ihnen von Herzen viel Erfolg und vor allem Spaß in der Umsetzung!

Danksagung

Bedanken möchte ich mich bei folgenden Menschen, ohne die dieses Buch in dieser Form nicht möglich gewesen wäre:

Corinna Bloch für die vielen methodischen Ideen und ihre Umsetzung während unserer gemeinsamen Trainer-Zeit; Claudia Vlijt-Gomulia für ebensolches und die vielen Stunden kreativen Austausches über Konzepte und Methoden; Marion Creß für ihr unermüdlich offenes Ohr, wenn ich mal wieder „etwas nicht klar hatte", und die seit Jahren andauernde Bestärkung und Ermutigung; Erich Schmidt-Dransfeld für den immer wieder anregenden Austausch und die Geduld mit einer „lebendigen" Autorin; Klaus Böcher-Danzeglocke, der mir vor allem zu Beginn meiner Tätigkeit als Trainer und Mentor bestärkend zur Seite stand; ebenso Martin Bock, als denjenigen in meiner Erinnerung, der mich zu diesem Job „genötigt" hat; Thomas Rousselle, der mir in vielen Jahren als Freund und Mentor zur Seite stand.

Außerdem danke ich zwei meiner Lehrer: Meiner Mathematiklehrerin auf dem Gymnasium, die ein fantastisches Beispiel für absolut schlechten Unterricht für dieses Buch geliefert hat, und Peter Leitzen dafür, dass er mir und vielen, vielen Schülerinnen und Schülern nach mir vorgelebt hat, wie man jungen Menschen mit Wertschätzung, klarem Auftreten und Ermutigung zum freien Denken begegnen kann. Schade, dass du bald aufhören wirst, Peter!

Literatur und Internet-Links

Themenübergreifend

http://www.trainerbuch.de / Die Seite von managerSeminare, auf der der größte Teil der relevanten Bücher für Trainer zu finden ist.
Dieser Verlag gibt auch die bekannte Zeitschrift gleichen Namens heraus.

Weitere Verlage bieten Trainerportale mit Literaturübersichten, Buchshops etc., darunter: www.junfermann.de / *Gibt die Zeitschrift „Kommunikation & Seminar" heraus, die das Fachmagazin für professionelle Kommunikation und seit 15 Jahren eine feste Größe in der Seminar- und Trainer-Szene ist.*

Hinweis: Es befinden sich außerdem zahlreiche „Spielereader" im Internet – die Recherche lohnt sich!

Gehirnforschung und Lernen

Literatur
Spitzer, Manfred: **Lernen:** Gehirnforschung und die Schule des Lebens. Spektrum Akademischer Verlag, 2006
Vester, Frederic: **Denken, Lernen, Vergessen:** Was geht in unserem Kopf vor, wie lernt das Gehirn, und wann lässt es uns im Stich? dtv, 1998

Suggestopädie und Accelerated Learning

Literatur
DGSL: **Lernen ohne Grenzen**. Suggestopädie: Stand und Perspektiven. Hg. v. I. Conrady, M. Haun-Just, B. von der Meden. GABAL Verlag, 1993
Meier, Dave: **Accelerated Learning:** Das Handbuch zum schnellen und effektiven Lernen in Gruppen. manager Seminare Verlag, 2004
Riedel, Katja: **Persönlichkeitsentfaltung durch Suggestopädie.** Suggestopädie im Kontext von Erziehungswissenschaft, Gehirnforschung und Praxis. Schneider Verlag Hohengehren, 2000
Schiffler, Ludger: **Suggestopädie und Superlearning – empirisch geprüft.** Diesterweg Verlag, 1989

Internet-Links
Deutsche Gesellschaft für suggestopädisches Lehren und Lernen e.V.
http://www.dgsl.de / *Die Homepage informiert u.a. über Ausbildungsmöglichkeiten.*

PLS Lernstudio München
http://pls-lernstudio.com/index.htm / *Ein Anbieter von Sprachkursen auf suggestopädischer Basis. Interssant u.a.: kurzgefasste Statements namhafter Wissenschaftler zur Suggestopädie (u.a. Prof. Mandl, München).*

Zentrum für Suggestopädie in Reutlingen
http://www.ilisa.de / *Dr. Katja Riedel hat eine schöne Homepage eingerichtet, auf der sie viele Informationen zum Thema Suggestopädie anbietet.*

Lernwelt Suggestopädie
http://www.suggestopaedie.de / *Ein Netzwerk suggestopädischer Trainer. Die Seite bietet u.a. Informationen über Ausbildungsmöglichkeiten und eine umfangreiche Linkliste.*

Methoden

Literatur
Beermann, Susanne: **Spiele für Workshops und Seminare.** Haufe-Lexware, 2007
Brandhofer-Bryan, Kathleen: **Lernen mit allen Sinnen:** 72 sinn-volle Lernspiele. Gabal, 2008
Buchacher, Walter / Wimmer, Josef: **Das Seminar.** Wirksam vortragen und lebendige Seminare gestalten. Linde, 2006
Dürrschmidt, Peter: **Methodensammlung für Trainerinnen und Trainer.** manager Seminare Verlag, 2006
Maaß, Evelyne / Ritschl, Karsten: **Phantasiereisen leicht gemacht:** Die Macht der Phantasie. Junfermann, 2008
O'Connor, Joseph / Seymour, John: **Weiterbildung auf neuem Kurs**: NLP für Trainer, Referenten und Dozenten. VAK Verlags GmbH, 2006
Rachow, Axel: **Sichtbar**. Die besten Visualisierungstipps für Präsentation und Training. manager Seminare Verlag, 2006
Weidenmann, Bernd: **Handbuch Active Training:** Die besten Methoden für lebendige Seminare. Beltz, 2006

Persönlichkeit

Literatur
Arbeitsbuch Structogramm®. IBSA Institut für Biostruktur-Analysen, CH-6003 Luzern, 2006
Lorenz, Thomas / Oppitz, Stefan: **30 Minuten für PROFIL-ierung durch Persönlichkeit.** Auf Basis des Myers-Briggs Type Indicator® (MBTI®) Instruments. Gabal, 2007
Seiwert, J. Lothar / Gay, Friedbert: **Das 1x1 der Persönlichkeit**. Gabal, 1996

Stöger, Gabriele / Vogl, Mona: **Mit Menschenkenntnis zum Seminarerfolg.** Persönlichkeitsprofile kennen und nutzen. Beltz, 2004

Tödter, Ulf / Werner, Jürgen: **Erfolgsfaktor Menschenkenntnis.** Cornelsen, 2008

Internet-Links

Das österreichische NLP-Lexikon erklärt (nicht nur) die Metaprogramme
http://www.nlp.at/lexikon/m3a.htm#metaprogramme

Kommunikation

Rosenberg, Marshall B: **Gewaltfreie Kommunikation:** Eine Sprache des Lebens. Junfermann, 2003

Schulz von Thun, Friedemann: **Miteinander reden Band 1–3**. Rowohlt TB, 1981

Stockhausen, Anke: **Schlagfertigkeit**. Schnell reagieren – treffend antworten. Cornelsen Scriptor, 2009

Stockhausen, Anke: **Gesprächsführung und Verhandeln.** Crashkurs! Cornelsen Scriptor, 2010

Winkler, Maud / Commichau, Anka: **Reden.** Handbuch der kommunikationspsychologischen Rhetorik. Rowohlt TB, 2005

Stichwortverzeichnis

Die Autorin

Anke Stockhausen ist nach dem Studium der Germanistik, Psychologie und Sprecherziehung 8 Jahre als Trainerin tätig gewesen – zunächst für Office-Anwendungen und suggestopädische Lernmethoden sowie als Tutorin für E-Learning. Als Projektleiterin und Teamleiterin in einem IT-Unternehmen sammelte sie neben Führungsfertigkeiten ebenfalls Erfahrungen wie man selbst in schwierigen Situationen gelungene Gespräche führen kann. Beweisen konnte sie sich unter anderem in der Planung und Durchführung verschiedener Trainingsprojekte – zumeist mit dem Schwerpunkt ganzheitliches Lernen und Lehren. Weitere Aus- und Weiterbildungen mündeten 2005 schließlich in die Selbstständigkeit als Coach und Trainerin. Ihre Kunden sind sowohl Konzerne, mittelständische Unternehmen aller Branchen als auch Non-Profit-Organisationen und Verwaltungen.

Neben Trainings und Coachings zu Kommunikation im Beruf, Schlagfertigkeit, Besprechungsmoderation und Menschenkenntnis zählt das wirkungsvolle Auftreten und Präsentieren zu ihren Schwerpunkten. Vom passenden wirkungsvollen Einsatz der Stimme und Körpersprache, über geeignete Medien – auch jenseits von PowerPoint – bis hin zum überzeugenden Redeaufbau, unterstützt sie Menschen darin, ihre kommunikativen Ziele zu erreichen. Ferner leitet sie als Suggestopädin Weiterbildungen für Trainer mit dem besonderen Augenmerk auf „merk"-würdiges Vermitteln von Inhalten. Sie ist Inhaberin von tatsächlich:lernen! In Kontakt kommen Sie unter www.tatsaechlich-lernen.de und info@tatsaechlich-lernen.de.